von   Friedrich 1984

D0966411

Damals in Königsberg

Wilhelm Matull

Damals in Königsberg

Ein Buch der Erinnerung
an Ostpreußens Hauptstadt
1919–1939

Gräfe und Unzer

Bildquellennachweis:
Andres 71; Bavaria 53; Drescher 17; Gräfe und Unzer 54;
Hallensleben 124; John 72; Landesbildstelle Hessen 36; Martin 123;
Roebild 106; Schmidt-Glassner 18, 105; Schneemann 35.

Redaktion: Antje Schunka, München
Umschlaggestaltung: Constanze Reithmayr-Frank,
München
Satz und Druck: Druckerei Wagner, Nördlingen
Bindung: Großbuchbinderei Monheim (Schwaben)

ISBN 3-7742-3622-4

Inhalt

Zum Geleit

Königsberg, die Stadt, die man nicht vergißt – einst eine der berühmtesten Europas – soll hier noch einmal in eindrucksvoll-liebenswertem Glanze aufleuchten. Vor zwanzig Jahren erschien mein erstes Buch »Liebes altes Königsberg«. Inzwischen habe ich ein Dutzend Bücher geschrieben oder herausgegeben, die zum Teil hohe Auflagen erreichten.

Und nun lege ich hier meine höchst persönlichen Erinnerungen aus den Jahren 1919–1939 vor, vermutlich als einer der letzten, die das Königsberg jener Zeit noch beschreiben können. Ich war in meiner Vaterstadt in dieser sogenannten Weimarer Zeit als Student, Kunstkritiker und junger Redakteur mit dem bewegten Leben vielfach vertraut. Zudem hatte ich das Glück, zahlreichen bedeutenden Persönlichkeiten zu begegnen. Sie im eigenen Erleben widerzuspiegeln, dabei möglichst oft Humoriges und Originelles einzuflechten und mit alledem ein lebensvolles Abbild des »Damals« in Königsberg zu zeichnen – das war meine Absicht.

Gesellschaftliches, künstlerisches und geistiges Sein, Ereignisse aus Politik und Verwaltung, aber auch die vertrauten Straßen und Plätze, die kleinen Begebenheiten des Alltags sollen dem Leser aufs neue gegenwärtig werden.

Als Schüler begleitete ich täglich vom Vorort Kalthof, wo wir beide wohnten, Königsbergs besten Lokalhistoriker Professor Fritz Gause. Er hat die Liebe zu Erbe und Leistung meiner Heimatstadt in mich gesenkt. Auch wenn ich nüchtern begreife, daß daraus die russische Provinzstadt Kaliningrad geworden ist, bin ich doch sicher: was in der 700jährigen Geschichte Königsbergs erwuchs, kann nicht untergehen.

Wilhelm Matull

In meiner Stadt am Pregel

Mit Königsbergs Brücken habe ich schon in Schülertagen kein Glück gehabt: welche man auch überqueren wollte, um rechtzeitig vor dem »Bimmeln« die Penne zu erreichen, bei einer waren immer die Brückenflügel hochgezogen, damit Lastkähne oder Frachtschiffe passieren konnten. Dann trippelte man ungeduldig von einem Fuß auf den anderen, denn die gewohnte Ausrede beim Zuspätkommen »Die Brücke war auf!« hatte sich schon zu sehr abgenutzt, um noch angenommen zu werden.

Dann hörte ich in Heimatkunde von einer Flußgöttin Pregolla, Gattin des Samos, der zu Ehren der Fluß benannt worden sei. Ich wunderte mich nur darüber, warum sie dann zeitweise ein so übles »Pregelaroma« verbreitete.

Später wurden wir im Mathematikunterricht aufgefordert, den Mathematiker Leonhard Euler (1707–1783) Lügen zu strafen, der behauptet hatte, man könne Königsbergs sieben Brücken nicht passieren, ohne dabei eine doppelt zu beschreiten. Auch uns gelang dies nicht. Außerdem gab es damals schon zusätzliche Brücken wie die Kaiserbrücke oder die Eisenbahnbrücke.

Endlich nahm sich unser Geschichtslehrer Dr. Kätelhön, der sich als alter Jägeroffizier gleichzeitig für einen bedeutenden Strategen hielt, dieses Pregels an und machte uns überzeugend klar, warum gerade an dieser Stelle die Stadt Königsberg gegründet werden mußte. Das von Angerapp, Inster und Pissa gespeiste Urstromtal, das dem Fluß den Namen Pregor gab, spaltete sich hier in zwei Arme, einen nördlichen samländischen und einen südlichen natangischen. Durch Querarme miteinander verbunden, hatten sich drei Inseln gebildet: oberhalb die Lomseinsel, in der Mitte die Kneiphofinsel und weiter unterhalb in Richtung Laak eine später verlandete Insel Inferior.

Wenn man bedenkt, daß im Norden dieses Pregeltales »imponierende«, bis zu 15 Meter hohe Erhebungen des samländischen Hügellandes dicht an den Fluß herantraten, daß sich im Süden jenseits der Kneiphofinsel der Buckel des Habergebirges (Haberberg) erhob, außerdem noch mehrere Landstraßen vorbeiführten, dann war in der Tat eine auffallende Situation geschaffen. Hier kam von der Weichsel her am Frischen Haff entlang ein Weg zum späteren Brandenburger Tor herein, ein anderer aus Natangen durch das spätere Friedländer Tor. Unmittelbar am Fuß des Hügels Tuwangste zog sich die samländische Landstraße über den späteren Steindamm zur Bernsteinküste hin, die litauische Straße führte durch das nachmalige Sackheimer Tor in den Osten, eine kurische Straße über den Schiefen Berg und den Roßgarten in Richtung Cranz zur Ostsee. Als Ritterorden und Hanse die strategische und wirtschaftliche Chance dieses Platzes begriffen, war der Gedanke einer Burg- und Stadtgründung geboren.

Bei späteren Forschungen im Stadt- und Staatsarchiv habe ich bald herausbekommen, was »heim« und »keim« in so vielen Ortsnamen bedeutet; es kommt aus dem Prußisch-Litauischen (keimas = Dorf). Dabei erklärte sich mir auch die Bedeutung der um Königsberg schon vorhandenen Prußendörfer Sakkeim als Stubbendorf, Trakkeim als Dorf in einer Waldlichtung und Liepenick (Löbenicht) als Sumpfdorf. Als siedelnde Ritter, Kaufleute und Bauernsöhne mit eingeborenen Prußen die Städte Altstadt, Kneiphof und Löbenicht begründet hatten, blühten hier rasch Handel und Wandel auf. Mit Recht hieß es in einem alten Spruch:

> »In der Altstadt die Macht,
> im Kneiphof die Pracht,
> im Löbenicht der Acker!«

Später wurde hinzugefügt: »im Sackheim der Racker!«

1255 ist Königsberg gegründet worden, 1724 wurde es zu einer Stadteinheit zusammengezwungen, 1620 ist dieses Königsberg – noch aus drei selbständigen Städten bestehend – bereits die größte Stadt in Brandenburg-Preußen, 1864 wird die Einwohnerzahl von 100 000 überschritten und 1939 zählt Königsberg bei der letzten Volkszählung 372 146 Bewohner.

Wie oft war ich am Pregel! In Schülertagen, in beruflichen Verpflichtungen, als Journalist oder mitunter nur besinnlich an seinen Ufern stromernd! Dieser Fluß mitsamt seinen Bollwerken, seinen Giebelhäusern und Speichern war einen Spaziergang wert. Was tat es dabei, wenn man vor einer hochgezogenen Brücke eine Weile warten mußte? Man durfte nicht gleich so ungeduldig werden wie jener Sackträger, der dem Brückenwärter zurief: »Ede, moak to, oeck on de Herr Generoal stoahne wie twee Oape!«

Ein abendlicher Gang – gar mit Gästen »aus dem Reich« – durch das Speicherviertel gestaltete sich zu einem Erlebnis. Da gab es Speicher mit Namen »Wilder Mann«, »Jonas mit dem Walfisch«, »Großer Friedrich«, »Roter« und »Schwarzer Adler«, »Taube mit dem Ölzweig« sowie »Brauner Bär«, »Löwe«, »Sonne«, »Merkur«, »Jungfernspeicher« und »Kranich«. »Hengst« und »Bulle« waren von 1589 nach vielen verheerenden Feuersbrünsten als älteste Speicher an der Altstädtischen Lastadie übriggeblieben. Dem Zauber eines solchen Spazierganges durch das Speicherviertel und anschließend durch Straßen und Gassen der ältesten Stadtteile konnte sich niemand entziehen. Immer wieder drängte sich eine Stimmung auf, wie sie Walter von der Laak (Walter Scheffler) empfunden hat:

Ach, noch einmal Pregel riechen,
nochmals längs der Fischbrück gehn,
dicke Kuppelweiber sehn,
Klara, Rosa und Mariechen,
wie sie unter Knollenmützen
blubbernd hinterm Fischtrog sitzen.

Hungrig macht es, rumzuschettern
so mang Dorsch und Räucheraal –
mal dort in den Keller klettern,
in das alte Flecklokal! –
Ei, das war ein duft'ger Schmaus!
Gleich zwei Kuppchen schrapt ich aus.

Nu, nach dem Genuß der Flecke,
raus aus Dorsch- und Stintgestank!
Schloßberg rauf zu »Ziemers Ecke« –
runter mit dem »Bärenfang«! –
Ich müßt ja schön dammlich sein,
nähm ich nich noch einen ein.

Aber jetzt noch mal nach unten
ins Lastadienviertel gehn –
mang den alten, schönen, bunten
Speichern scheiwelts sich so schön.
Liebt es stets, da rumzuschlorrn –
wie das riecht nach Flachs und Korn!

Stets wechselte das Bild: im Frühling schaukelten die Masten
schlanker Kähne und größerer Pötte im Winde, Schlepper und
Kutter drängten sich zwischen ihnen vorbei, überhaupt herrschte
geschäftiges Treiben zu Wasser wie zu Lande. Kräne hoben
wertvolle Fracht aus den Schiffsbäuchen in die Speicherluken,
Sackträger balancierten ihre zentnerschwere Fracht in Eisenbahnwaggons, Reeder, Makler, Kaufleute, Matrosen mischten
sich zu einem buntfarbigen Durcheinander.

An einem Sommerabend konnte man in den Speicherquergassen
Hausmarken wie »Pelikan« mit der Jahreszahl 1670 in der Bohl-
werksgasse oder »Schwan«, auch von 1670, in der Reifschläger-
straße oder »Greif« von 1728 in der Tränkgasse und »Hirsch«
von 1741 in der Vogelgasse anstaunen und zu den altersgrauen
Giebeln hinaufschauen. Zwar hatte Königsberg späterhin pregelabwärts im Kornsilo und in der Walzmühle, erst recht im Indu-
strie- und Handelshafen geräumigere Speicher, aber die Atmosphäre der Lastadie blieb einmalig.

Wenn aber an einem stürmischen Herbsttag oder gar an einem
eisigen Wintertag hochgehende Wellen den Uferrand über-
schwemmten oder Eisschollen gegen die Kaimauern donnerten,
zog man »schubbernd« seinen Mantel fester. In einem Hafen, der
zum Beispiel im Jahre 1938 mehr als 4200 Schiffen Platz bot, gab

es immer Interessantes. Königsberg war nicht nur der Weltum-
schlagplatz für Linsen und ein sehr bedeutender Getreidehafen,
auch Weinfässer und Heringstonnen, Säcke mit Hülsenfrüchten
und Wollballen stapelten sich in den Laakspeichern, die das
Rückgrat für den Wohlstand der Handelsstadt bildeten. Wehe,
wenn hier einmal ein Feuer ausbrach! Die Stadtgeschichte kennt
solche verheerenden Feuersbrünste aus den Jahren 1764, 1769,
1775, 1783 und 1811, die ganze Stadtteile in Schutt und Asche
gelegt hatten. Der »Millionendamm« wie der »Tränendamm«
waren traurige Erinnerungen an solche Katastrophen. Noch im
Jahre 1929 habe ich dem Brand von vier Speichern auf der
Altstädtischen Lastadie als Reporter zugesehen.
Am schönsten war es, wenn man abends in der Nähe des um diese
Zeit abgeräumten Fischmarktes ein stilles Plätzchen gefunden
hatte, der Pregel ruhig vorbeifloß, kein Handelsgeschäft und
keine Unterhaltung störten, nur der Schloßturm – den man 1864
neu, wenn auch stilwidrig errichtet hatte – und der Dom über die
alten Giebel herübergrüßten. Wenn man diese Stimmung so recht
auskostete und wenn dann plötzlich vom Schloßturm die Stadtmusikanten ihr »Nun ruhen alle Wälder« ertönen ließen, erst
dann hatte sich der Zauber einer seltenen Stunde vollends eingestellt. In einem ihrer schönsten Gedichte »Heimweh« hat Agnes
Miegel jene Stimmung getroffen, die wohl jeden Königsberger
erfaßt, wenn er an »seine« Stadt im Norden mit ihren »sieben
Brücken grau und greis« zurückdenkt:

> Ich hörte heute morgen
> am Klippenhang die Stare schon.
> Sie sangen wie daheim –
> und doch war es ein andrer Ton.
>
> Und blaue Veilchen blühten
> auf allen Hügeln bis zur See.
> In meiner Heimat Feldern
> liegt in den Furchen noch der Schnee.

In meiner Stadt im Norden
stehn sieben Brücken, grau und greis,
an ihre morschen Pfähle
treibt dumpf und schütternd jetzt das Eis.

Und über grauen Wolken
es fein und engelslieblich klingt —,
und meiner Heimat Kinder
verstehen, was die erste Lerche singt.

Auf der Kö..., auf der Kö..., auf der Königsallee

Dieser Refrain eines bekannten Schlagerliedes klingt mir jedesmal in den Ohren, wenn ich am Rosenmontag in Düsseldorfs Renommierstraße Königsallee dem Karnevalsumzug zuschaue. Eine Königsallee habe ich aber schon in frühen Schülertagen durchmessen. In Königsberg war sie keine Prachtstraße, doch eine wichtige Verbindung zwischen der genau einen Kilometer langen Königstraße, am Königstor vorbei, nach Kalthof und Devau hinaus, wo sich das weiträumige Exerzierplatzgelände, später ein moderner Flughafen, befand.

Die Königsberger Königsallee hat ihren Namen oft gewechselt. Nach dem Ersten Weltkrieg hieß sie schlicht Labiauer Straße, um nach Anbruch des »tausendjährigen Reiches« als Hermann-Göring-Straße zu paradieren. Nachdem die Russen 1945 die »Festung« Königsberg eingenommen hatten, wurde eine Stalinallee daraus – und so heißt sie heute bestimmt auch nicht mehr! Welcher Wandel allein in einem Menschenleben! Wie muß es in den Köpfen von Menschen aussehen, die dies alles miterleben mußten?

Die Königsallee hat im Laufe der Jahrhunderte allerhand erlebt. Auf alten Landkarten findet sich dort die Bezeichnung »Der kalte Hoff«. Gemeint ist damit ein landwirtschaftlich genutzter Versorgungsbetrieb des Deutschen Ritterordens, der später als Domänenamt und Erbpachtgut »Kalthöfscher Acker« tituliert wurde. In unseren Tagen, bevor die wachsende Großstadt 1905 den Vorort eingemeindete, wurde hier ein Gutsbezirk von einem Herrn von Kleist bewirtschaftet, nach dem dann ein der Allgemeinheit zugänglich gemachter Gutspark »Kleistpark« benannt wurde. Obwohl auch Heinrich von Kleist in Königsbergs Löbenichtscher Langgasse 11 gewohnt und sein Dichterroß erfolgreich

13

gesattelt hat, hieß dieser Park nicht etwa nach ihm, sondern eben nach dem Gutsbesitzer Berthold von Kleist. Er hatte sich in diesem Park einen großen Findlingsstein mit der Inschrift »Non omnis moriar« setzen lassen, doch er selbst wurde rasch vergessen – und nicht nur er allein!

Auf dieser Allee ist Kaiser Wilhelm II. mit prunkvollem Gefolge zur Parade nach Devau geritten. Wir Schüler standen fähnchenschwenkend und »Hurrah« brüllend Spalier. Als »Nationalhymne« wurde »Ich bin ein Preuße! Kennt ihr meine Farben? Die Fahne schwebt mir weiß und schwarz voran« gesungen, seltener das Lied von der »Wonnegans«!

Auf ihr strebte auch der Feldmarschall und spätere Reichspräsident von Hindenburg demselben Ziel zu. Manche Regimentskapelle hat auf hartem Kopfsteinpflaster den Marschtritt der Soldaten angefeuert. Schließlich bin ich selbst viele Jahre hier entlanggepilgert, um in einem dreiviertelstündigen Marsch meine Schule in der Stadtmitte zu erreichen und so die 3 Mark für die Straßenbahn-Schülermonatskarte als Taschengeld zu sparen.

Wir wohnten in der am Kleistpark in die Königsallee einmündenden Radziwillstraße 8. An ihrem Ende befand sich eine Pionierkaserne. Vor ihr erhoben sich drei »Villen«, die nach den geltenden Festungsrayonbestimmungen nur als Holzhäuser errichtet werden durften. In der neben der Kaserne liegenden wohnte »die alte Saborowskische«, Besitzerin aller drei Gebäude, und auch der Freiherr von Gayl, der es zum Abstimmungskommissar und sogar zum Reichsinnenminister bringen sollte. Unser Wohnhaus führte die stolze Bezeichnung »Villa Louise«. Über dem Hauseingang war eine Frauenstatue angebracht, die ich für die Königin Luise hielt, geziemend umhüllt, aber mit entblößten Brüsten. Anfänglich übersah ich sie scheu, später studierte ich sie wißbegierig, bald auch erfahren-prüfend!

Abends trompetete ein Pionier das Schließen der Kasernentore ein. Die Melodie kannte ich gut, sogar den dazugehörenden Text, er hieß: »Zu Bett, zu Bett, wer eine hat, wer keine hat, muß auch zu Bett! Zu Bett! Zu Bett!« Wer von den heimkehrenden Soldaten »über den Zapfenstreich gehauen« hatte und nicht rechtzeitig einpassiert war, benutzte unseren Garten, um über die Zäune ungesehen auf das Kasernengelände zu gelangen. Wer dabei aber erwischt wurde, wanderte zu »Vater Philipp«, der Militär-Arrestanstalt am Wrangelturm.

An der Ecke Radziwillstraße–Königsallee stand das Ausflugslokal Königshöh. Hier trafen sich an jedem Schultag mein Vater, ein biederer Konrektor, die Lehrer Gruschkus und Wiechert, ferner Studienrat Gause, später Stadtarchivdirektor, Professor und Verfasser einer dreibändigen exzellenten Lokalgeschichte meiner Vaterstadt. Ich trottete mit, mitunter wißbegierig aufschnappend, was Gause von stadthistorisch Bemerkenswertem erzählte. Davon gab es in Kalthof eine ganze Menge, so zum Beispiel das Lokal Schweizertal, wo einstmals eine Amtsmühle geklappert hatte. Ihrer Vergangenheit habe ich dann im Königsberger Stadtarchiv nachgeforscht und darüber meinen ersten gedruckten Beitrag in den »Mitteilungen des Vereins für die Geschichte von Ost- und Westpreußen« veröffentlicht.

Was gab es die Königsallee entlang und in ihrer nächsten Umgebung nicht alles an Lokalen mit Gärten? Weißes Schloß und Rotes Schloß, Adolfsruh, Schweizertal, Tannenhof, Friedrichsruh, Scharfenort, Königshöh, Ludwigshof und Sprind. Noch war der Brauch der Vorweltkriegszeit nicht abgeklungen: sonntags zogen ganze Scharen von Besuchern mit Kind und Kegel in diese Ausflugslokale, lauschten den Klängen einer Musikkapelle und ließen ihren mitgebrachten Kaffee aufbrühen. Gause war es übrigens, der mir vorschlug, mich näher mit der Geschichte des Arbeiterlokals Ludwigshof zu beschäftigen; dort haben bei Maifeiern unter anderen Braun, Crispien, Haase, Noske und Gottschalk gesprochen, Persönlichkeiten, die hernach als Reichsminister oder führende Politiker im Reich eine bedeutende Rolle spielen sollten.

Noch ein paar nette Erinnerungen an Kalthof sind mir im Gedächtnis geblieben: Wenn ich bei Alwine Mursch einholen ging, einem ältlichen Fräulein, das immer so weiß wie ihr Mehl gepudert war, fand man im Laden Getreide und Hülsenfrüchte, aber auch grüne Schmierseife und Petroleum in friedlicher Nachbarschaft vereint. Milch, Butter und Käse brachte Hieronymus Eisenmenger mit einem Wägelchen, das von einem kleinen Kunter gezogen wurde. Vor dieser stattlichen Mannsperson bekamen wir großen Respekt, als wir ihn im Ersten Weltkrieg in kakifarbener Uniform und mit einem roten Fez als Kopfbedeckung gesehen hatten. Er trug als Orden einen Halbmond, auf dem merkwürdige Schriftzeichen eingraviert waren. Als wir ihn nach deren Bedeutung fragten, erklärte er uns, das hieße »Tod allen Christenhunden!«

Überhaupt, wie anders lauteten damals die Vornamen unserer Spielkameraden? Da gab es ganz selbstverständlich August, Friedrich, Hermann oder Wilhelm. Die Mädchen wurden Auguste, Friederike, Luise, Margarete, Victoria oder Wilhelmine gerufen, es gab auch seltsame Namen wie Cleopanzia, Schwanhildis oder Dina. Die Letztgenannte ärgerten wir immer mit dem Hinweis, in der Mitte ihres Namens habe man ein »a« ausgelassen.

Mittlerweile war die Schar der Pauker und Pennäler auf ihrem morgendlichen Fußweg die Königsallee entlang bis zum Königstor gekommen. Zuvor gab es auf beiden Seiten noch zahlreiche Friedhöfe, davor standen kleine Buden, in denen verwitterte Mutterchens Kränze und Blumen feilboten. Mitunter bimmelte und schuckelte die Kleinbahn nach Tapiau vorbei, die ihre Endstation dicht beim Königstor hatte, oder es ruckelte auch die Straßenbahnlinie 2 daher, die vom Ost- und Südbahnhof bis nach Kalthof einen langen und am Schloßberg mitunter schwer zu bewältigenden Weg zurückzulegen hatte. Wenn dann an der Orgelbauanstalt Göbel eine Pause vor der Rückfahrt eingelegt wurde, erfrischte sich das Fahrpersonal gegenüber in Tanzkis Krug bei einem »Ponarther« oder »Schönbuscher«. Wenn es 15, gar 20 Frostgrade gab – das kam im Winter häufiger vor! – und die Männer in ihrem Zottelpelz ungeschützt auf dem Vorderperron im eisigen Wind aushalten mußten, genehmigten sie sich zusätzlich zu ihrem Bierchen einen dreietagigen Klaren. Der Krugwirt Tanzki verstand es, diese Pausen mit deftigen Sackheimer Witzen zu würzen.

Die ursprünglich selbständigen Städte Altstadt, Löbenicht und Kneiphof – mit
Dom und Alter Universität – waren durch zahlreiche Brücken verbunden.
Lastkähne und Frachtschiffe mußten aber passieren können. Gewohnte Ausre-
de der Königsberger beim Zuspätkommen: »Die Brücke war auf!«

Der Gang durch das Speicherviertel war immer ein Erlebnis. Da erzählte etwa die Hausmarke am »Wallfisch-Speicher« – eine von vielen – anschaulich, wie Jonas am Strand von Ninive dem Walfisch entstiegen ist.

Mehrere Jahre hatte ich auf dem täglichen Schulweg das Königstor passiert, ohne ihm sonderliche Beachtung zu schenken, da bot sich eines Tages unerwarteterweise Gelegenheit, es genauer anzuschauen. Am Morgen des 4. März 1919 wurden wir durch Kanonenschüsse aus dem Schlaf gerissen. Mein Vater sprang als erfahrener Frontsoldat sofort aus dem Bett und erklärte erregt: »Jetzt geht es los!« Mit ihm stürzte auch ich aus dem Hause und begleitete ihn – wie ich annahm – zur Schule. Aber auf der Königsallee erblickten wir bewaffnete Soldaten im Stahlhelm, es waren – wie sich später herausstellte – die Gerthschen Jäger, ein Freicorps. Am Königstor begegneten wir ebenfalls Bewaffneten, sie trugen vielfach Matrosenuniformen und hatten rote Armbinden. Auf einmal fielen aus der Königstraße Schüsse, die vom Königstor erwidert wurden. Mein Vater stürzte mit mir in das nächstbeste Haus, und dort warteten wir »die Eroberung Königsbergs« ab. Als die Schießerei endlich aufhörte, hatte ich Zeit, das inzwischen »eroberte« Königstor näher zu betrachten. Zuerst wurden natürlich die Einschüsse bestaunt, erst dann wurde ich der Gestalten gewahr, die dieses Festungstor schmückten. Es waren König Ottokar von Böhmen, König Friedrich I. und Herzog Albrecht mitsamt ihren Wappen.

Im August desselben Jahres erblickte ich dort auf meinem Schulweg eine Ansammlung von Autos. Ihre Insassen betrachteten neugierig das Königstor. Ich wurde belehrt, daß sich unter ihnen der neue Oberbürgermeister Königsbergs, Dr. Dr. Hans Lohmeyer (1881–1961), befand, sein persönlicher Referent Volkmar Hopf (der bis zum Präsidenten des Bundesrechnungshofes aufsteigen sollte), ferner Stadtkämmerer Dr. Friedrich Lehmann und Stadtschulrat Prof. Dr. Paul Stettiner. Vom Letztgenannten hieß es: »Der hat seine Pfoten in allen Dingen!«

Erst viel später erfuhr ich, daß Oberbürgermeister Lohmeyer bei seinem Amtsantritt eine Besichtigungsfahrt durch die Stadt unternommen hatte und dabei am Königstor auf soeben begonnene Abbrucharbeiten gestoßen war. Diese hatte er sofort stoppen lassen, und dies war die erste seiner Maßnahmen zur Erhaltung der vielen Königsberger Tore und Wallanlagen. Dank Lohmeyers

Initiative und der Mithilfe seines Gartenbaudirektors Ernst Schneider wurde aus den einengenden Toren und Wällen die aufgelockerte »Stadt im Grünen«, wie man Königsberg später allgemein rühmend nannte. Fortan war es ein doppelter Genuß, am Sonntag »vors Tor« zu gehen und in den erholsamen Wallanlagen auf Spielwiesen oder Bänken auszuruhen. Für den historisch Interessierten blieb noch mancher Anlaß zu nachdenklicher Betrachtung: in den baumbestandenen Grünanlagen des Königstorglacis stieß man auf alte Grabsteine, wie zum Beispiel den für Königsbergs ersten »echten« Oberbürgermeister Dr. August Wilhelm Heidemann (1773–1813) oder den Organisator des Volksschulwesens Friedrich Gustav Dinter (1760–1831).

Ein Abglanz dieser schönsten Seite der Stadt hat auch mich von naiv-glücklichen Schülertagen bis zum tieftraurigen Abschluß der Geschichte Königsbergs begleitet und wird immer zu meinen kostbarsten Erinnerungen gehören.

Sunt pueri, pueri,
puerilia tractant

Dieses »Kinder sind Kinder und Kindliches treiben sie!« hörten wir öfter mißbilligend aus dem Munde unseres Lateinlehrers Sierke, wenn wir wieder einmal etwas angestellt hatten. Er war ein Polyhistor, genialisch in seiner Art, sprach fließend lateinisch, griechisch und auch mehrere moderne Sprachen; immer wunderten wir uns, daß er es nicht zum Universitätsprofessor gebracht hatte. Wir waren schließlich nicht besser als die Generation vor uns in ihren Kindertagen, und was heute – mitunter in sehr ausgeuferten Formen – eine heranwachsende Generation anstellt, zählt auch zum Jugendrausch und Protest gegen die Vorgeneration. Zwar trugen wir stolz bunte Schülermützen – die Fridericianer grüne Mützen mit goldenem Band, wir Altstädter Blau mit Gold, die Kneiphöfer Blau mit Silber, die »Lebenslichter« (wie die Löbenichter betitelt wurden) Rot mit Silber – , aber oft wurden wir abschätzig als Sprachheister, Heemske, Steppke, Lümmel, Bowke, Dämlak, Dammelskopp, Gnos, Lachodder, Lorbaß, Lulatsch, Luntrus oder gar Laux und Rabauk beschimpft. Wir lieferten ja auch manchen Grund dafür!

In den unruhigen Jahren nach 1918 – den Revolutionstagen und dem Währungsverfall – hatten dann auch Mitschüler »aus gutem Hause« eine merkwürdige Rolle gespielt. Da war zum Beispiel Wolfgang Schmidt Vorsitzender des Provinzial-Arbeiter- und Soldatenrates geworden; er brachte es hernach bis zum Ministerialdirektor. Der Arztsohn Wollenberg war roter General und kam wie der Student Scheyer (der nach dem Zweiten Weltkrieg Berater des BHE-Bundesministers Krafft in Bonn war) desillusioniert und sogar lebendig aus Sowjetrußland heraus.

Eines Tages in diesen Jahren voll unerwarteter Überraschungen marschierte in der Pause der Quintaner Gottschalk mit einem

21

schwarz-rot-gold umrahmten Pappschild auf dem Schulhof umher. Auf ihm stand zu lesen: »Wir wollen einen Schülerrath!« In vereinfachter Schreibweise waren »Rat« und »Rath« gleich zusammengezogen worden. Und bei einem späteren Schultreffen bekannte unser Geschichtslehrer Dr. Kätelhön: »Dieser Matull war ein widerhaariger Bursche! Wir alle waren für schwarz-weiß-rot, er insistierte hartnäckig für schwarz-rot-gold!« Als unser Direktor (und Stadtverordneter) Dr. D. Arthur Mentz 1920 während der kurzlebigen Regierungszeit des ostpreußischen Generallandschaftsdirektors Kapp einen Aufsatz über das Thema »Unser neuer Reichskanzler Kapp« hatte schreiben lassen, kam die Angelegenheit sogar vor die Stadtverordnetenversammlung und führte dort zu heftigen Auseinandersetzungen.

Aber mit den Jahren und wohl auch zunehmender Reife legte sich das alles, das herannahende Abiturientenexamen erforderte Aufmerksamkeit genug. Hinzu kamen auch ernstliche Bemühungen um Neuerungen im Schulwesen. Man wurde zu den Lehrern nach Hause eingeladen, es gab einmal im Monat anstatt des Fachunterrichts einen Studientag, die monatlichen Schulausflüge wurden oft unter das Thema Stadtgeschichte gestellt. Unser Deutschlehrer Professor Walter Friedländer verstand es meisterlich, uns mit Baulichkeiten, Plätzen und den dort einst wohnenden Berühmtheiten vertraut zu machen.

Jedes Gymnasium hatte stolze Traditionen zu bewahren. Besonders ehrenvoll war die Vergangenheit des »Königlichen Friedrichkollegiums« in der Jägerhofstraße. 1698 gegründet, war es von Anfang an keine Kirchschule gewesen, obwohl es den Pietisten nahestand. Als einziges Königsberger Gymnasium Staatsschule, mußte es sich dennoch selbst finanzieren. Es galt als vorbildliche Lateinschule, die allen ähnlichen Einrichtungen der Provinz als Exempel vorangestellt wurde. Daneben betrieb man auch moderne Sprachen wie Englisch, Französich, Italienisch, Holländisch und Polnisch. Der sehr strenge Schulunterricht hat einmal für die Internatsschüler um 5 Uhr mit dem Wecken begonnen und um 21 Uhr mit dem Abendgebet geendet.

Der berühmteste Schüler dieses Fridericianums war unzweifelhaft

Immanuel Kant, der es von 1732–1740 absolviert hat, ehe er als Sechzehnjähriger die Albertina bezog. Johann Gottfried Herder war hier eine Zeitlang Lehrer, aber nach seinem Abgang schrieb er 1764: »Diese ehrliche alte 60jährige Friderike mag vormals eine Schmarre der Religion und ein Runzel der Pedanterie zu Schönflecken gehabt haben, aber jetzt ist alle Jugend weg, und jene Schminke läßt desto übler.«

Dennoch sind aus dieser Schule bedeutende Persönlichkeiten hervorgegangen: der Geschichtsschreiber Ludwig von Baczko (1756–1823), der vielfache Präsident deutscher Parlamente und des Reichsgerichts Eduard von Simson (1810–1899), der Schriftsteller Ludwig Passarge (1825–1912), der Literarhistoriker Heinrich Spiero (1876–1947), der Romancier Siegfried von der Trenck (1882–1951) und der Dichter Ernst Wiechert (1887–1950). Aus dem stattlichen Kreis bedeutender Pädagogen sei besonders der Historiker Bruno Schumacher herausgehoben, der seiner Schule als Schüler, Lehrer und letzter Direktor zweiundvierzig Jahre seines Lebens gedient hat. Angefangen bei Direktoren wie Albert Lehnerdt (1878–1890), Georg Ellendt (1891–1908), Paul Glogau (1909–1912), Alfred Rausch (1913–1914), Paul Wollert (1915–1930), Herbert Mischkowski (1931–1933) bis zu Bruno Schumacher (1934–1945) hat das Fridericianum tüchtige Schulleiter, aber ebenso hervorragende Lehrer gesehen. Interessanterweise gab es unter ihnen auch zwei stadtbekannte, angesehene Sozialdemokraten, den Altphilologen und Kantianer »Ottchen« Schöndörffer und den Altphilologen Herbert Mischkowski. Aus dem Schülerkreis sind namhafte Politiker wie Johann Jacoby, Eduard von Simson, der Oberpräsident Adolf von Batocki, erfolgreiche Schriftsteller wie Walter Heymann, Heinrich Spiero, Siegfried von der Trenck, Ernst Wiechert, Alfred Karrasch, Karl Herbert Kühn und Generale wie Gause, Sensfuß, Thomaschki und von Saucken hervorgegangen.

Gewissermaßen als Ausgleich zu den konservativen Traditionen dieses Friedrichskollegs residierte in der gleichen Jägerhofstraße – und sogar gegenüber seiner Schulpforte! – »die rote Emma«. Damit war die Direktorin Emma Rauschning gemeint, eine fortschrittliche Pädagogin, die einem Mädchenlyzeum vorstand. Vor und nach dem Unterricht trafen sich dann die Fridericianer mit ihren heimlichen »Flammen« in der gleichen Straße beim Zuckerbäcker Zippert, und dabei haben manche lebenslangen Freundschaften begonnen.

Mit Stolz bezeichnete sich das aus einer kirchlichen Lateinschule hervorgegangene Kneiphöfische Gymnasium, das seine Tradition bis 1304 zurückführen konnte, als älteste dieser Einrichtungen in Königsberg. Seine Bedeutung erhöhte sich noch, als das andere städtische humanistische Gymnasium – das Altstädtische von 1342 – mit dem Kneiphöfischen in dessen Schulgebäude am Dom 1922 zum »Stadt-Gymnasium Altstadt-Kneiphof« unter der Leitung von Dr. D. Arthur Mentz (1882–1957) vereinigt wurde. Auch dieses Gymnasium hatte bedeutende Direktoren wie Richard Armstedt (1851–1931), einen der ernsthaften Geschichtsschreiber Königsbergs. Unter ihm leisteten über die Unterrichtstätigkeit hinaus Beachtliches Prof. Fischer, Prof. Dr. Ernst Mollmann (1873–1919). Von diesem hat einer seiner Schüler begeistert bekannt: »Mollmann, ein richtiger Römer, ein feiner Lateiner, etwas hart, aber ein glänzender Lehrer. Wenn er uns einmal die Rede des Demosthenes im Ganzen vorübersetzte, so war das ein Genuß.« Aus dem Lehrkörper sei wenigstens noch Prof. Dr. Max Lehnerdt (1887–1927), Sohn des Direktors am Friedrichskolleg, hervorgehoben, ein überaus produktiver Wissenschaftler »von stets vornehmer Haltung, ein gütiger Lehrer«. Ein Urteil aus Schülerkreisen über dieses Lehrerkollegium ehrt alle Pädagogen: »Es waren Charaktere, gütig und menschlich verstehend, wirkliche Lehrer, die uns vorlebten.«

In den Jahren nach 1925 vollzogen sich erhebliche Wandlungen im Königsberger Schulwesen. Die Stadt übernahm fünf bisherige Privatlyzeen als Körteschule, Maria-Krause-Lyzeum, Goetheschule, Bismarcklyzeum. Die Hindenburg-Realschule wurde eine Oberrealschule; das Hufengymnasium erhielt in Otto Portzehl einen originellen Direktor; das Löbenichtsche Realgymnasium leiteten Otto Kehlert und dann Arno Hundertmark (1880–1949). Jüngste höhere Schule Königsbergs wurde die Vorstädtische

Oberrealschule. Insgesamt gab es zum Schluß vierundvierzig städtische Volksschulen, fünf Hilfsschulen, zehn Mittelschulen und die genannten Gymnasien.

Das Altstädtische Gymnasium – meine eigene Schule – hat ein wechselvolles Schicksal erlebt. Ursprünglich erhob sich sein Haus am Kaiser-Wilhelm-Platz (wo später die Altstädtische Mittelschule residierte), dann war ein stattliches Gebäude gegenüber der Feuerwache und der Markthalle in unmittelbarer Nachbarschaft des Speicherviertels errichtet worden. Bedeutende Direktoren waren Heinrich Babucke (1841–1902) und Lejeune Dirichlet (1858–1920). Dieser hatte verwandtschaftliche Beziehungen zu Mendelssohn-Bartholdy. Uberhaupt gab es gute Kontakte zu den jüdischen Mitbürgern Königsbergs. Das hatte zur Folge, daß die jüdische Intelligenz ihre Kinder zur Altstadt schickte, während die Kaufmannschaft den Kneiphof bevorzugte.

In der großen Aula des neuen Schulgebäudes – mit Wandbildern von Bischoff-Kulm und Dörstling geschmückt – hatten wir täglich die olympischen Spiele vor Augen, aber unter den zuschauenden Senatoren hatten auch Lehrer wie zum Beispiel Babucke ein wachsames Auge auf uns.

Wenn ich mir ein Foto unseres Lehrerkollegiums anschaue, wird mir erst heute voll bewußt, wie viele Charakterköpfe sich um unsere Bildung bemüht haben. Zumeist nannten wir sie nur mit Spitznamen wie »Herzog von Quednau«, »Mops«, »Jumbo« und so weiter. Aber steckte hinter solchen Namen nicht doch ein Stück Anerkennung und Respekt vor oft eigenwilligen, zugleich aber auch markant geprägten Persönlichkeiten?

Zwei Begebenheiten sind mir aus dieser Lebensperiode in nachwirkender Erinnerung geblieben: Im Rahmen gewisser Modernisierungen mußte auch Aufklärungsunterricht erteilt werden; unser Biologieprofessor tat dies kurz und bündig mit der einprägsamen Warnung ab: »Hütet Euch vor den Peripathetikerinnen der Liebe, die dem horizontalen Gewerbe obliegen!« Eines Tages hielt mich auf dem Schulhof Direx Mentz an und erzählte mir, daß er »Eufrat« im Wandervogel sei. Das war ein »Eltern- und Freundesrat«, der die aufkommende Jugendbewegung wohlwollend begleitete, ohne aufdringlich in Erscheinung zu treten. Ich schloß mich jenen Kreisen an, lernte auf Wanderungen nicht nur die Schönheiten der näheren und weiteren Heimat kennen, sondern wurde in dieser Jungengemeinschaft auch vor allzu früher Begegnung mit dem weiblichen Geschlecht, dem Tanzboden und anderen Lokalitäten bewahrt.

Die zweite Begebenheit bezog sich auf Mathematik. Unser Mathematiklehrer Professor Troje war ein vielseitig gebildeter genialischer Typ, der unbedingt an die Universität gehört hätte. Meine Klassenkameraden hatten mich häufig angestiftet, ihn zu bewegen, aus dem unerschöpflichen Schatz seiner Italienkenntnisse zu berichten, was er denn auch mehr als gerne tat. Die Folge war ein solches Absinken meiner Mathematikleistungen, daß Gefahr für das Abitur drohte. Im Gefolge einer Auseinandersetzung bat mich Troje zur Aussprache auf den Schulhof. Natürlich wußte ich, wohin es ging. Angelehnt an den Dom stand dort eine schon etwas unansehnliche Kapelle, die sogenannte »Stoa Kantiana«, die 1924 einem neuen Kant-Xenotaph, geschaffen von Friedrich Lahrs, Platz machen mußte. Aber dorthin ging es nicht, sondern Troje führte mich zur Ostseite des Doms, wo sich am Pauperhausplatz ein Gedenkstein nebst einem Portraitmedaillon befand. Er erzählte mir von dem dargestellten Julius Rupp (1809–1884), der Lehrer an meiner Schule, beinahe auch Direktor des Kneiphof, Geistlicher an der Schloßkirche und schließlich Begründer der Freireligiösen Gemeinde gewesen war. Das Portraitmedaillon auf dem Gedenkstein stammte aus der Hand seiner Enkelin Käthe Kollwitz (1865–1945). Troje schloß seine Epistel mit der Bemerkung: »Mein Jungchen, du kannst deinen Schnabel ruhig reißen, aber dann merke dir mal, was hier steht!« Ich las: »Wer nach der Wahrheit, die er bekennt, nicht lebt, ist der gefährlichste Feind der Wahrheit selbst.«

Das Charakterbild Rupps, die engagierte Kunst seiner Enkelin Käthe Kollwitz, die Worte auf dem Gedenkstein, manche Samenkörner der Schulzeit sind dann zu Leitmotiven meines politischen und sozialen Engagements im Leben geworden.

Student sein,
wenn die Veilchen blühn

Im März 1923 bestand ich mein Abitur auf höchst sonderbare Weise. Als Ausgleich für eine verbogene Mathematikarbeit mußte ich ins Mündliche. Alle meine Klassenkameraden waren in feierlichem Schwarz erschienen. Ich trug unbekümmert einen grünen Sammetanzug mit Schillerkragen und kurzen Hosen. Als ich ins Konferenzzimmer gerufen wurde, glitt mir die Türklinke aus der Hand, und die Pforte schlug mit heftigem Knall zu. Der Vertreter des Provinzialschulkollegiums, Latrille, setzte indigniert sein Pincenez auf die Nase und musterte mich kritisch. Dann fragte er: »Warum erscheinen Sie in einem solchen Aufzug?« Ich stand freimütig Rede und Antwort, ein Wort gab das andere, bald waren wir im Gespräch über Jugendbewegung, Schulreform und Politik. Nach einer Viertelstunde war der Disput beendet, ich hatte bestanden, ohne in einem anderen Fach geprüft worden zu sein! Als ich mich zu Hause an den Mittagstisch gesetzt hatte, fragte mein Vater: »Wann macht ihr denn eigentlich Abitur?« Gelassen antwortete ich: »Das habe ich heute bestanden!« Meine Mutter fing sogleich zu weinen an, denn im Schrank hing der dunkle Prüfungsanzug.

Wenige Tage später öffnete ich unter sichtlichem Kräfteaufwand die schwere Eingangspforte zur Universität am Paradeplatz und ließ mich beim Studentenvater Henrard immatrikulieren. Bald darauf wurde ich in der Aula von der Magnifizenz Uckeley feierlich unter die akademischen Bürger aufgenommen. Nun begann mein erstes Universitätssemester. Überfleißig hatte ich in Geschichte, Philologie, Musikwissenschaft und Pädagogik reichlich belegt und ging auch in anderen Disziplinen »schnorren«. Was gab es nicht alles für berühmte Lehrer! Birch-Hirschfeld, Falkenheim, Filchner, Gerullis, Gödekemeyer, Iwand, Haendke,

Heimsoeth, Jenisch, Kowalewski, Litten, Mortensen, Müller-Blattau, Nadler, Plenzat, Przybyllok, Rothfels, Sauer, Scholtz, Schreiber, Starlinger, Unger, Wenzkus, Worringer, Ziesemer und Zscharnack.

Sehr bekannt und immer eines großen Hörerkreises sicher war der Jurist Professor Dr. Fritz Litten. Er hatte – wie man so sagte –»eine verhauene Schnauze«, liebte es auch in seinen Vorlesungen mit geistreichelnden Bemerkungen zu brillieren, war aber bei den Studenten wegen scharfer Sentenzen und höchst bissiger Aperçus gefürchtet. Meinem Klassenkameraden Heinz Kopkow ist doch folgendes passiert: Beim Antestieren hatte sich eine Schlange von nahezu hundert Studenten gebildet. Litten gab bis zum vierzigsten etwa seine Unterschrift. Als Kopkow an die Reihe kam, erklärte er, daß er weitere Unterschriften erst am nächsten Tage tätigen würde. Auf die inständige Bitte des Studenten, doch wenigstens noch eine Unterschrift zu geben, antwortete Litten:»Nein, mein Lieber, es ist das Wesen der Grenze, daß sie plötzlich ist.« Auch diesem Litten – der viele Beiträge für die »Königsberger Allgemeine Zeitung« geschrieben hat – ist übel mitgespielt worden, 1939 starb er elend im Exil in London.

Alles hätte ein unbeschwerter Studienanfang sein können. Der Musikwissenschaftler Müller-Blattau war kaum mehrere Jahre älter als wir Studiosi und baute mit uns überhaupt erst eine echte Musikwissenschaft an der Albertina auf. Viele meiner Klassenkameraden führten ein frohes Leben in ihren Verbindungen, den Burschenschaften und Korps – es gab über vierzig akademische Korporationen. Sogar mein Hauptkonkurrent in Geschichte, Leo Silberberg, war der farbentragenden Verbindung »Friburgia« beigetreten. Ich aber stürzte mich bereits im 1. Semester handelnd in die Hochschulpolitik und wurde für den »Fortschrittlichen Hochschulblock« anstelle von Gerhard Birnbaum (1941 in Lemberg von der Gestapo ermordet) in den Asta gewählt.

In den kommenden Semestern gab es bereits heftige politische Auseinandersetzungen. Die »Nationalen« mit aufkommenden völkischen und antisemitischen Tendenzen hatten sich in einem »Hochschulring deutscher Art« zusammengeschlossen. Auf der

Linken agierten neben dem »Fortschrittlichen Hochschulblock« die »Sozialistische Studentengruppe«, bald auch ein »Republikanischer Studentenbund« mit Liberalen und Windhorstbündlern. Die Leidenschaften wuchsen mit den unruhiger werdenden Zeiten und führten auch zu Auseinandersetzungen mit dem Rektorat.

Das Geld machte in diesen Monaten tolle Sprünge. Es kletterte inflationär auf Millionen- und Milliardenhöhen; als ich meine Gebühren am letztmöglichen Termin entrichtete, hatte mich dieses Semester zwei Pfennige gekostet. Die Semesterferien verbrachte ich als Landarbeiter auf einem Gut; pro Woche gab es 1 Zentner Roggen als Lohn. Am Ende der Semesterferien war ich stolzer Besitzer von 14 Billionen Mark!

In der Erinnerung an jene Zeit erstrahlt für mich besonders die Begegnung mit Professor Müller-Blattau. Ob im »Collegium musicum«, ob als Hilfskraft im Opern- oder Schauspielhaus, ob im häuslich-geselligen Kreis, ob bei der Sucharbeit in der Staats- und Universitätsbibliothek oder bei ersten Versuchen mit kleinen Musikkritiken in Tageszeitungen – trotz aller Wirrnis der Zeit, es waren schöne Studententage in Königsberg!

Nicht verschwiegen sei, daß man gelegentlich auch seinen Jugendrausch austobte. Das hatten vor uns schon andere getan, am schlimmsten der Maler Lovis Corinth. Einmal hatte er mit Kumpanen »einen angebrochenen Nachmittag« – wobei man schon »die Schlorren voll« hatte – in seinem Stammlokal »Gambrinus« in der Tuchmacherstraße beenden wollen, wurde aber vom Wirt nicht eingelassen. Daraus entwickelte sich eine Schlägerei, bald auch ein Volksauflauf. Schließlich mußten alle Beteiligten den Gang zur Junkerstraße 8 – dem damaligen Polizeipräsidium – antreten. Zur Ausnüchterung eingesperrt, sah die »besoffene« Angelegenheit am nächsten Morgen übel genug aus: einen Schutzmann hatten sie böse ins Schienbein getreten, einen anderen in den Finger gebissen, die Uniformen demoliert, ja sogar einem Schließer einen Ohrlappen abgerissen. Nur mit größter Mühe konnte die Sache ohne Gerichtsverfahren beigelegt werden.

Auch ich war einmal in eine solche Affäre geraten. Auf einem

Zug durch Lokale wie Nahser, Winkler, Kulmbacher, Tucher, Jühnke, Kempka, Siechen, Börsenkeller und andere waren wir schon sehr beschwingt in unserem Stammlokal in der Kneiphöfischen Langgasse angekommen. Dort spielte eine Kapelle, deren Schlagzeuger ich zeitweise ersetzen durfte. Natürlich mußte ich dafür etwas spendieren. Typische Königsberger Schnäpse hätten sich angeboten, etwa ein »Blutgeschwür«, gemischt aus Eiercognac und Kirschlikör, oder eine »Speicherratte«, ein »Pregelgestank« oder ein »Elefantendups mit Setzei«, aber nein – im Hinblick auf die anwesenden Damen hieß es: »Fürs Marjellchen ein Prünellchen!« Von dem mir bisher unbekannten, aber angenehm eingänglichen Getränk gab ich gleich mehrere Lagen aus. Bald geriet der Boden unter meinen Füßen ins Schwanken, und ich machte mich vorsichtshalber auf den Heimweg. Komisch nur, daß die Giebel des Kneiphofs sich mir entgegenneigten! Auf der Pregelbrücke vor dem Kaiser-Wilhelm-Platz mußte ich Gott Neptun opfern! Hinter dem Rücken des Bismarckdenkmals – zwischen Altstädtischer Mittelschule und Café Petschlies – befand sich das Heim des »Fortschrittlichen Hochschulblocks«. Unter Ächzen und Stöhnen – nicht nur der Treppe – erkletterte ich es. Dort rührte mich, daß die Hagemannsche Kantbüste so nackt dastand, ich band ihr meinen Schal um und begab mich wieder auf den Kaiser-Wilhelm-Platz. Dort zog es mich zum Bismarckdenkmal, hinter dessen Gitter die kreisrunde Inschrift eingelassen war: »Wir Deutsche fürchten Gott, sonst nichts auf der Welt«. Die Kantbüste hinter mir herziehend und diesen Spruch laut murmelnd, umkreiste ich unablässig das Denkmal. Natürlich hatte sich bald eine stattliche Menschenmenge angesammelt, die mein Tun mit ironischen, ja hämischen Bemerkungen begleitete.

Als ich am nächsten Morgen ernüchtert, aber mit Kopfschmerzen erwachte, erfuhr ich, daß die Lokalredakteure der Königsberger Zeitungen nur durch große Überredungskunst eine Zeitungsnotiz über dieses Vorkommnis unterdrücken konnten. Mir selbst war es eine gehörige Lehre: so leichtsinnig habe ich nie wieder »ein Prünellchen fürs Marjellchen« ausgegeben.

Unter den studentischen Bräuchen jener Zeit sind mir zwei als besonders eindrucksvoll im Gedächtnis geblieben: die Auffahrt zum Gedenken an den 18. Januar 1701, den Tag, an dem sich im Königsberger Schloß Friedrich I. die Königskrone aufs Haupt gesetzt hatte. In offenen Equipagen und farbenprächtig anzuschauen fuhren die Corps, Burschenschaften, Turnerschaften, akademischen Gesangvereine und freien Verbindungen mit ihren Bannern und in vollem Wichs – Cerevis oder Stürmer, Schnürrock, Pekeschen, Stulpenhandschuhen und Kanonenstiefeln – zum Festakt im Auditorium maximum vor, wo bereits die Spitzen der Behörden und die akademischen Lehrer warteten. Besonders volkstümlich war das Einsingen des 1. Mai auf dem Schloßteich. Wenn der Abend einfiel, sammelten sich mit Studenten besetzte lampiongeschmückte Boote und fuhren auf dem Schloßteich umher. Beschwingt vom Maitrank erklang bald »Der Mai ist gekommen«, mitunter konnte man fast an eine italienische Nacht im verstandesnüchternen Königsberg glauben.

In meine Königsberger Studentenzeit fielen zwei Ereignisse, die im Universitätsleben besondere Höhepunkte darstellten: 1924 die 200-Jahrfeier für Immanuel Kant und 1927 die Einweihung des Erweiterungsbaus der Universität. Natürlich hat Kant im Leben dieser Stadt immer eine herausragende Rolle gespielt. Ganz bewußt setze ich aber hierhin Professor Gauses Bemerkungen: »Über Hamanns Philosophie kann hier ebenso wenig gesprochen werden wie über die Kants. Beide sind Pole ostpreußischen Wesens, Kants Logik und Hamanns Ironie, Kants Verstandesklarheit und Hamanns Glaubenstiefe, Kants Denken und Hamanns Schauen. Zwischen ihnen spannt sich der Leuchtbogen, mit dem Königsberg das deutsche Geistesleben erhellte wie niemals zuvor und danach in seiner Geschichte.«

Auf unserem Schulhof wurde 1924 – als Stiftung von Hugo Stinnes! – das an den Dom angelehnte, von Friedrich Lahrs geschaffene Xenotaph (also ein Leergrab, denn Kants Gebeine blieben in der bisherigen Ruhestätte) eingeweiht. Es steht heute noch – neben der Ruine des Doms – und wird als einzige bemerkenswerte Baulichkeit, die vom gesamten Stadtteil Kneiphof übriggeblieben ist, von den Russen geehrt.

Vom 19. bis 24. April 1924 fanden zahlreiche Kantfeiern internationalen Formats statt, namhafte Persönlichkeiten aus allen Teilen der Welt – sogar aus Peking und Tokio – waren aus diesem Anlaß nach Königsberg gekommen. Einen Sonderbeitrag steuerte meine Schule mit einer Aufführung der »Antigone« von Sophokles in griechischer Sprache im Neuen Schauspielhaus bei, an deren Einstudierung meine Lehrer Abernetty und Gehlhaar maßgeblich beteiligt waren. Neben vielen niveauvollen wissenschaftlichen Reden sei von den offiziellen Ansprachen die des Preußischen Ministerpräsidenten Otto Braun herausgehoben, eines Mannes, der in Königsberg als Buchdrucker und Redakteur angefangen hatte und dann zwölf Jahre hindurch mit starker Hand – von seinen Gegnern letzten Endes doch anerkennend »roter Zar von Preußen« genannt – das größte der deutschen Länder regiert hat, während Reichsregierungen am laufenden Band wechselten.

Auch die Einweihung des Erweiterungsbaus der Universität war ein Ereignis. Mittlerweile frequentierten mehr als 3000 Studenten die Albertina und brauchten für Vorlesungen und Seminare Platz. Motor in diesen Dingen war der hochverdiente Kurator Friedrich Hoffmann (1875–1951). Unter dem plastischen Schmuck, der Räume und Höfe zierte, waren auch Schöpfungen meines Jugendfreundes Rudolf Daudert, der später Professor an der Kunstakademie Karlsruhe geworden ist.

Bei alledem darf die Handelshochschule nicht übersehen werden. 1930 bezog sie einen Neubau in Maraunenhof und hatte über 200 Studierende. Wer wollte – auch in seliger Erinnerung an zahlreiche Feste! – die Kunstakademie vergessen? Sie hatte in Ratshof ihre Wirkungsstätte und in ihren Lehrkörpern so bedeutende Professoren wie Karl Albrecht, Eduard Bischoff, Fritz Burmann, Stanislaus Cauer, Artur Degner, Friedrich Lahrs, Partikel, Karl Storch und Heinrich Wolff. Eine »Kunst- und Gewerbeschule« wurde hauptsächlich von Hermann Brachert, Ernst Grün und Edmund May betreut.

In diesem Zusammenhang seien auch eine Reihe schaffender Künstler genannt, in deren Ateliers ich häufig geweilt habe:

Arved Seitz (1874–1933), Julius Freymuth (1881–1961), Alexander Kolde (1886–1963), Emil Stumpp (1886–1941), Ernst Schaumann (1890–1953), Ernst Rimmek (1890–1953), Ernst Mollenhauer (1892–1963). Unter den Bildhauern haben außer Brachert und Daudert noch Threyne und Fugh Beachtliches geschaffen. Manche ihrer Kunstausstellungen habe ich besprochen, oft auch am persönlichen Ergehen Anteil genommen. Dies gilt besonders für den Maler Ernst Mollenhauer und seine Frau, eine geborene Blode aus Nidden, von denen ich Interessantes über die Künstleraufenthalte von Malern und Dichtern (zum Beispiel Thomas Mann und Carl Zuckmayer) in Nidden erfahren habe. Zusammen mit Mollenhauer habe ich eine Reihe von Käthe-Kollwitz-Wanderausstellungen gestaltet. Auch das Königsberg stark berührende Schaffen von Heinrich Wolff ist mir sehr nahegebracht worden.

Ob man im wissenschaftlichen oder künstlerischen Bereich solche Kontakte knüpfte, immer konnte man bekennen: Königsberg war so etwas wie ein Leuchtturm im Osten, dessen Licht »ins Reich«, aber auch weit nach Osteuropa strahlte.

Chefreporter für
Feuer, Einbruch und Mord

Mit bescheidenen Aushilfen in der Musikkritik hatte meine journalistische Betätigung begonnen. Ich durfte Anfänger der Gesangskunst, kleinere Orchesterveranstaltungen, sodann populäre Tiergartenkonzerte würdigen, die den Hauptrezensenten nicht bedeutsam genug erschienen. Zugleich konnte ich mir damit ein paar Pfennige zum Studium hinzuverdienen. Dabei hätte meine mit mancherlei Hoffnungen angefangene journalistische Tätigkeit beinahe gleich zu Beginn ein jähes Ende gefunden: Ein Konzert des städtischen Orchesters unter seinem Dirigenten Leschetizky mit der Sängerin Nina Lützow hatte ich gebührend gewürdigt, als mir am nächsten Tag der Chefredakteur wütend die anderen Königsberger Gazetten vor die Nase hielt. In ihnen stand zu lesen: »Anstelle der erkrankten Sopranistin Nina Lützow sang mit bekannter Bravour die Altistin Lisa Arden.« Mit einer gehörigen Gardinenpredigt über Grundpflichten eines sauberen Journalismus fand die Angelegenheit für dieses Mal noch ein glimpfliches Ende.

Bald bot sich mir Gelegenheit zu eingehenderer lokaler Berichterstattung, und eines Tages – mitten in winterlich frostigen Zeiten – war ich offiziell zum »Chefreporter für Feuer, Einbruch und Mord« bei der »Königsberger Volkszeitung« avanciert. Von einer dem Gewerkschaftshaus gegenüberliegenden Fleischerei mußte ich »zum Einstand« große Ringel heiße Knoblauchwurst holen, aus dem Volkshausrestaurant einige Portionen Grog bestellen. Als ich Chefredakteur Wyrgatsch einige Tropfen Wasser in seinen Rum gießen wollte, erklärte er voller Entrüstung: »Mensch, aus Ihnen wird nie ein gescheiter Redakteur, verpanscht mir der Kerl doch meinen Grog!«

Nun begab ich mich also auf die Suche nach Feuer, Einbruch und

Herzog Albrecht von Preußen (1490–1568) war ein großer Freund der Wissenschaften und der Künste. Er gründete im Jahre 1544 die Universität Königsbergs, die »Albertina«.

Im Herzen der Stadt lockte der Schloßteich zu reizvollen Kahnfahrten. Besonders volkstümlich war das Einsingen des 1. Mai durch die Studenten in lampiongeschmückten Booten auf dem abendlichen Teich – beschwingt vom Maitrank.

Mord. Aber siehe da, in den anderen Zeitungen stand immer etwas, ich hingegen kam nie zurecht. Nach einer Woche gestand mir Lokalredakteur Dawill, daß man sich mit mir einen Spaß gemacht und mich hätte zappeln lassen. Ich bekam von der Geschäftsführung einige Kisten Zigarren ausgehändigt, jedoch mit der strengen Anweisung, sie nicht etwa als auszulegende Bestechung bei Polizei, Justiz oder Feuerwehr abzugeben, sondern sie nach persönlicher Vorstellung »diskret« stehenzulassen. Fortan war auch ich stets im Bilde, wenn etwa die Feuerwehr ausrückte, und jagte im Auto hinterdrein.

Ein Zwischenfall bescherte mir schon früh die Bekanntschaft mit Königsbergs Bürgermeister Carl Friedrich Goerdeler. In einem Lokalbericht war gerügt worden, daß in Juditten eine Wohnlaube völlig niedergebrannt sei, weil die Feuerwehr sich nicht getraut hätte, zum Löschen auf eine angeblich zu nasse Wiese zu fahren. Da erschien Bürgermeister Goerdeler höchstpersönlich auf der Redaktion und lud mich (der ich den Bericht gar nicht verfaßt hatte) zur Mitfahrt mit dem vor dem Verlagsgebäude wartenden Feuerwehrwagen ein. Wir setzten uns beide ins Führerhaus des ersten Löschzuges und erregten naturgemäß bei der Fahrt durch die Stadt einiges Aufsehen. An der Brandstätte angelangt, besahen wir uns die Sachlage. Goerdeler aber erklärte dem Brandmeister: »Lieber stecken bleiben, als abbrennen lassen!«

Später, als ich mithalf, im Junkerhofsaal Berichte über die Stadtverordnetensitzungen zu schreiben, hatte ich meinen Pressesitz unmittelbar unter dem Platz Goerdelers. Dieser von Haus aus christlich-konservative Mann begrüßte mich stets, erkundigte sich nach Eindrücken in Oper oder Stadttheater und bekundete reges Interesse für städtisches Geschehen. Ihm gegenüber wirkte der demokratische Oberbürgermeister Dr. Dr. Lohmeyer steifer, er hatte es aber »faustdick hinter den Ohren«. Hingegen habe ich oft Unterhaltungen mit dem quicklebendigen Stadtschulrat Professor Dr. Paul Stettiner gehabt, der nicht nur ein überaus kenntnisreicher Schulmann, sondern zusätzlich eine Art von Königsberger Kultusminister war. Ursprünglich jüdischer Mitbürger, früh zum Christentum konvertiert, dann Oberlehrer und Stadtschulrat geworden, war der Junggeselle später sogar Provinzialvorsitzender der Deutschen Volkspartei und erwies sich als ein überall anzutreffender, stets gesprächsbereiter engagierter Mensch, dem Königsberg außerordentlich viel zu verdanken hat. Nach 1933 wurde Lohmeyer elend abqualifiziert, Goerdeler (und auch sein Bruder, der Stadtkämmerer Fritz Goerdeler) fielen dem 20. Juli 1944 zum Opfer, Stettiner nahm sich, als man ihn zwingen wollte, den Judenstern anzulegen, das Leben. Ein schimpflich-düsteres Kapitel aus Königsbergs Stadtgeschichte!

Wie oft habe ich meine Zeit in den folgenden Jahren im Journalistenkreis verbracht! Meine Musikkritikerplätze im Opernhaus waren denen von Otto Besch von der KAZ (der »Königsberger Allgemeinen Zeitung«) benachbart. So ergaben sich mit diesem feinsinnigen Menschen und talentierten Komponisten Verbindungen, die auch in schweren Stunden ein Leben lang vorgehalten haben. Die »Hartungsche« (»Königsberger Hartungsche Zeitung«) hatte in Dr. Erwin Kroll einen Kritiker hohen Formats, der mit scharfer Feder dafür Sorge trug, daß Königsbergs Musikleben ein achtenswertes Niveau behielt. Bei einer Opernaufführung trat einmal ein Sänger an die Rampe und frotzelte: »Oh, krolle nicht zu sehr!« Mit seinem Buch »Musikstadt Königsberg« hat Erwin Kroll dem vielseitigen musikalischen Leben dieser Stadt ein Denkmal gesetzt.

Am Münchenhof domizilierten »Hartungsche« und »Tageblatt«, zwei gewichtige Presseorgane. Die »Königsberger Hartungsche Zeitung« war eine der ältesten deutschen Zeitungen und so bekannt, daß auch Thomas Mann sie in seinen »Buddenbrooks« erwähnt hat. 1640 begründet, als »Staats-, Kriegs- und Friedenszeitung« den Siebenjährigen Krieg und später Russen- wie Franzosenzeit überdauernd, galt sie als niveauvolles Blatt eines liberalen und demokratischen Bürgertums, freilich zuletzt mit arg schwindender Auflage. Hingegen »ging« das »Königsberger Tageblatt« als Zeitung für den kleinen Mann bald »auf wie Hefe« und wurde zum Volksblatt mit hoher Auflage.

Chefredakteur Franz Steiner vom »Tageblatt« und seine kunstsinnige Frau, Paula Steiner, von der »Hartungschen«, Chefredakteur Listowsky, der Außenpolitiker Dr. Johannes Leo, der agile Lokalredakteur Hugo Auspitzer, der »Fachmann für Sojabohne und Seidenraupenzucht« Johannes Mittelstädt, vor allem der Feuilletonchef und Leiter des »Goethebundes«, Dr. Ludwig Goldstein, wie auch andere Schriftleiter, zum Beispiel die Musikkritiker Heinrich Röckner und Gustav Dömpke oder der »Provinzonkel« Oscar Schwonder, sind mir in diesen Jahren wiederholt begegnet. Allesamt waren sie eine würdige Visitenkarte des deutschen Journalismus. 1933 fand alles ein jähes Ende. Manche Redakteure wie etwa Auspitzer haben danach sehr böse Zeiten durchgemacht.

Die »Königsberger Allgemeine Zeitung«, die ihr umfangreiches Verlagsgebäude in der Theaterstraße hatte, konnte sich im Laufe dieser Jahre zunehmend durchsetzen. Sie stand auf dem Boden der »Deutschen Volkspartei«. Ihr Chef war Alexander Wyneken, eine stadtbekannte Erscheinung, immer mit einem Zylinderhut geschmückt. Ihr widmet Dr. Fritz Gause in seiner »Geschichte der Stadt Königsberg« folgende Würdigung: »Monarch im Reich der Allgemeinen Zeitung war Wyneken. Anfangs hatte er auf eine Einigung aller liberalen Gruppen in einer großen Partei hingearbeitet, aber als sich das als unmöglich erwies, trat er den Nationalliberalen bei und öffnete ihnen seine Zeitung. Mit großer Arbeitskraft, journalistischem Spürsinn und politischem Fingerspitzengefühl machte er sie in kurzer Zeit zur größten Zeitung Ostpreußens und einer der angesehensten des Reiches. Wyneken war 18 Jahre lang Stadtverordneter, seit 1897 im Vorstand des Vereins deutscher Zeitungsverleger und Gründer (1907) des Vereins ostpreußischer Zeitungsverleger.«

Auch der Redakteur Dr. Max Meyer hat an diese markante Gestalt noch deutliche Erinnerungen: »Als ich 1928 Redakteur wurde, schwebte ›der alte Herr‹, wie Dr. h. c. Alexander Wyneken bei uns allgemein genannt wurde, schon über den Wolken der täglichen Zeitungsarbeit. Er war wohl noch Verlagsleiter und Chefredakteur, aber der Manager der beiden Ausgaben an jedem Tag war Dr. Ernst Rauschenplatt, offiziell Chef vom Dienst. Der alte Herr genoß uneingeschränkte Hochachtung. Man wußte, daß er viel Sinn hatte für ›leben und leben lassen‹. Für die Angestellten hatte er mit einer Versicherung eine besondere Altersversorgung vereinbart. In der besten Zeit der Zeitung soll es für die Redakteure mindestens 14 Monatsgehälter gegeben haben: je ein volles Gehalt zu Weihnachten und zum Abschluß.«

Dann folgte als Verlagsleiter Dr. Volz, der angesichts der wachsenden Konkurrenz des »Tageblattes« eine Reihe von Änderungen in Geschäftsführung und Redaktion vornahm. Als Chefredakteur berief er Dr. Martin Müller-Haeseler, der auch Stadtverordneter der »Deutschen Volkspartei« war, aber mit dem aufkommenden Nationalsozialismus liebäugelte. Er ist übrigens am ersten Kriegstag 1939 mit seinem Flugzeug über Polen abgeschossen worden. Als er gefallen war, wurde Leo Holstein Chefredakteur, der sich mit seinen Kollegen Dr. Balzer und Dr. Sarter beim Einmarsch der Russen das Leben genommen hat.

Dem heute achtzigjährigen Redakteur Dr. Max Meyer verdanke ich manchen Hinweis auf das überaus stattliche Redaktionskollegium. Geschäftsführer waren die Direktoren Glocke und Töpfer, Chef vom Dienst Dr. Ernst Rauschenplatt. Die Außenpolitik gestaltete Leo Holstein, die Innenpolitik Fritz Hirschner und Dr. Zenz. Für Ostpolitik zeichneten Dr. Ernst Seraphim und dann sein Sohn Dr. Peter Heinz Seraphim verantwortlich. Um die Wirtschaft kümmerten sich Dr. Diehl, Dr. Paul Strenge und Dr. Max Meyer, letzterer auch um den Briefkasten mit über 1000 Anfragen im Monat. Die Sparten Feuilleton, Theater, Musik und Kunst bearbeiteten Dr. Sarter, Dr. Balzer, Otto Besch und in seiner Vertretung Waldemar Falkenthal und Dr. Kurt Rattay. Um die Lokalangelegenheiten bemühten sich Leo Holstein, und nach seinem Avancement bearbeitete Gustav Gruber das Lokale, das Provinzielle Dr. Preuschhoff, den Sport anfänglich Arthur Heeder und dann Lutz Koch, die Frauenfragen Else Migge, »Hänschen« Wyneken half in der Theaterkritik mit.

Außerdem gab es für die zweimal am Tag erscheinende Zeitung an Redakteuren im Laufe der Zeit noch Dr. Lotte Frohwein, Gernhuber, Skuin, Scharfenorth und andere. Die Redakteure Erich Glodschey, Max Meyer und Kurt Pastenacci wanderten zur

»Jungdeutschen« nach Berlin ab. Die Schriftleiter Gernhuber und Skuin wurden bei Kriegsende von den Russen zu Vernehmungen abgeholt und man hat nie mehr von ihnen gehört.

Unter diesen Zeitungsleuten gab es natürlich auch Originale, wie sie ein solcher Beruf zu prägen pflegt. Ich habe noch »Onkel Lubo« (Lubowski) gekannt, der bei der »Allgemeinen« der »Trauerbarde« war. Wenn er also wieder einmal einen Nachruf auf einen namhaften Verstorbenen zu verfassen hatte, pflegte er lauthals in den Gängen zu den Redaktionszimmern zu deklamieren: »Soeben erreicht uns die erschütternde Kunde . . .« In den Gerichtssälen stieß man auf die Reporter Schloß und Annuschies, die noch der Mitte des 19. Jahrhunderts entstammten. Sie schrieben ihre Berichte auf Kopierblättern nieder und überreichten diese allen Königsberger Zeitungen. Diese Methode fand aber mit dem zunehmenden Konkurrenzkampf seit der Mitte der zwanziger Jahre ihr Ende; jedes Presseorgan wollte jetzt seinen Originalbericht haben.

Fortan wurde überhaupt härter und schneller gearbeitet. Der ehemalige Redakteur der KAZ, Dr. Max Meyer, entsinnt sich: »Wir erschienen zweimal am Tag, aber eigentlich sechsmal, denn vor jeder Stadtausgabe gab es zwei Provinzausgaben, die so rechtzeitig fertig sein mußten, daß die Züge für die einzelnen Strecken in die Provinz erreicht werden konnten. Für jede Zeitung hatten wir unseren ›countdown‹. Start der ›Rakete‹ war die Abfahrtszeit des betreffenden Zuges vom Ost- oder Südbahnhof. Entsprechend vorher mußten die Autos mit den gebündelten Zeitungspaketen den Hof in der Theaterstraße verlassen. Auf Minuten genau gab es daher vorher Umbruch, der unter keinen Umständen terminlich überschritten werden durfte. Das schaffte oft genug wahre Hexenkessel, denn auf Korrekturabzüge konnte nicht verzichtet werden. So wurde einmal in allerletzter Sekunde verhindert, daß die Bilder, die oft sehr spät fertig wurden, zu den schon druckfertigen Unterschriften nicht nur der Größe nach paßten, und nicht, wie schon geschehen, der frisch ernannte hohe Geistliche mit einer Zuchtsau aus einem Musterbetrieb verwechselt wurde.«

Die konservative »Ostpreußische Zeitung«, anfänglich unter der Redaktionsführung des M.d.L. »Ede« Kenkel, später unter Götz-Otto Stoffregen, schlug eine scharfe Klinge gegen die Weimarer Republik. Ihrer Redaktion gehörte zeitweise auch Agnes Miegel an. Über den Verlagsleiter Dr. Richter pflegte man ironisch zu bemerken, er vertausche nur im Wahlkampf sein Monokel mit einer Nickelbrille. Die »Ostpreußische« war in der Tragheimer Pulverstraße zu Hause. Dort installierte, nachdem die Zeitung eingegangen war, während der Nazizeit im Rahmen der Graphischen Kunstanstalt Otto Dikreiter seinen Kanter-Verlag.

Die sozialdemokratische »Königsberger Volkszeitung« hat während ihrer mehr als vier Jahrzehnte währenden Existenz bedeutende Redaktionsmitglieder gehabt. Es seien zum Beispiel Otto Braun, später Preußens langjähriger Ministerpräsident, Gustav Noske, der spätere Reichswehrminister und Oberpräsident von Hannover, Artur Crispien, deutscher Sekretär der »Sozialistischen Internationale«, Carl Marchionini, Vater des späteren Münchener Universitätsrektors, und Ludwig Quessel, der später Reichstagsabgeordneter wurde, genannt. Zu meiner Zeit waren Chefredakteur Otto Wyrgatsch, politischer Redakteur Wilhelm Endrulat, gewiegter Lokalredakteur und gleichzeitig Vorsitzender des Buchdruckergesangvereins »Typographia« Gustav Dawill, Provinzredakteur M.d.L. Hans Mittwoch. Als dieser bei einer Reise in die Provinz in Stuhm beim Aufhalten eines durchgehenden Fuhrwerks, auf dem eine Frau mit Kind saß, tödlich verunglückt war, rückte als sein Nachfolger Werner Lufft ein. Dieser hatte 1920 eine journalistische Eintagsfliege ans Tageslicht gebracht, ist hernach jüngster deutscher Reichstagsabgeordneter, Landrat in Gerdauen und nach 1945 Ministerialdirektor geworden. Für ihn wurde ich 1928 in das Redaktionskollegium aufgenommen und war verantwortlich für Provinz, Sport und Musikkritik. Außerdem gab ich das Wochenblatt »Der Landbote« heraus. Damit schien auch für mich der journalistische Berufsweg für immer eröffnet worden zu sein. Aber es sollte anders kommen!

Zu den Aufgaben eines rührigen Journalisten gehörte selbstverständlich der Kontakt mit den verschiedensten staatlichen und städtischen Behörden, erst recht mit deren Repräsentanten. Oft genug habe ich dem nüchtern-soliden Oberpräsidenten Ernst Siehr (1869–1945), der von 1920 bis 1932 ehrenvoll amtierte, gegenübergesessen, auch seinem »Vize« Steinhoff. Dieser war nach dem Zweiten Weltkrieg Ministerpräsident von Brandenburg, hatte aber wegen seiner Willfährigkeit gegenüber der russischen Besatzungsmacht bald den Spitznamen »Tafelaufsatz« weg. Regierungspräsident war in Königsberg von 1925 bis 1932 Max von Bahrfeldt (1880–1964), ein Volksparteiler, der dennoch von den Nazis bei ihren Überfällen und Attentaten vom 31. Juli auf den 1. August 1932 durch Revolverschüsse verletzt wurde. Die Provinzialverwaltung hatte ihren Sitz im Landeshaus in der Königstraße. In diesem stattlichen Gebäude tagte auch der gewählte Provinziallandtag. Dort begegnete ich auf Pressekonferenzen dem würdigen Landeshauptmann Graf Manfred von Brünneck-Bellschwitz (bis 1928) und anschließend Landeshauptmann Paul Blunk, der aber auch 1933 aus seinem Amt gedrängt worden ist. Solche Pressekonferenzen, persönliche Interviews und Einladungen ließen diese Menschen näher kennen und schätzen lernen. Ostpreußen war mit ihnen gut bedient!

On se schmiete
fohrts möt Fösche

In Königsberg gab es eine Anzahl von Märkten, auf denen die Hausfrauen ihren Bedarf an Kartoffeln, Gemüse, Fischen und so weiter decken konnten. Da war vor dem Altstädtischen Rathaus in der Umgebung schöner alter Giebelhäuser der Altstädtische Markt. Hier traf man vor allem Handelsfrauen an, die Gemüse, aber auch Butter, Eier und Käse anboten. Mitunter, wenn sie gut aufgelegt waren, priesen sie ihre Ware in singendem Tonfall an. Dann vernahm man »Kept Schabbelbohne, Zeloatgurk, Sellerie, Zipple!« oder »Ei Reddis, fresche Reddis!«, erst recht »Toffle, Toffle!« oder im Frühsommer »Blubeere, wat goats Blubeere!« Auf diesem Altstädtischen Markt herrschte immer Hochbetrieb, war er doch in der Stadtmitte leicht zu erreichen.

Sehenswürdigkeiten besonderer Art waren der Obere und Untere Fischmarkt am Pregel zwischen Holzbrücke und Schmiedebrücke, im Volksmund der »Flundern-, Stint- und Zwiebelwinkel« genannt. Auf den am Bollwerk ankernden Kähnen wurden Moorkartoffeln, Gemüse aller Art, Zwiebeln und im Herbst Gurken und Kürbisse angeboten. Davor erhoben sich die Verkaufsstände der »Fischweiber«. Alles was Ostpreußens Meer und Haffe, Seen und Flüsse an Fischreichtum boten, gab es hier zu kaufen. Rufe wie »Dörsche, fresche Dörsche!« oder »Karpe, Karpe, fresche goade Karpe!« und »Strämling, Kulbärsch, Späckflundre!« konnte man den ganzen Tag hören.

Diese Fischfrauen waren nicht auf den Mund gefallen und verfügten über ein beachtliches Maß an Zungenfertigkeit. Sie hielten bei Wind und Wetter ihre Waren feil und waren einem Disput nicht abgeneigt. Nur durfte man ihnen nicht mit Mäkeleien an der Ware kommen. Einmal, an einem recht kalten Wintertag, bemängelte eine jung verheiratete und noch wenig erfahrene Hausfrau, daß die Fische ja alle krumm und schief dalagen. Noch einigermaßen wohlwollend wurde sie da belehrt:»Na, Freilein, legen Sie sich mal bei dem Frost so nackigt auf dem Tisch, dann werden Sie sich auch krimmen und nich lang ausstrecken!«

Naturgemäß war der Fischmarkt eine gern aufgesuchte Stätte, wenn ein paar Studenten »einen hinter die Binde gegossen« hatten und nun die Fischfrauen ärgern wollten. Mancher hat das bereut, wenn ihm ein paar Fische an den Kopf flogen. Trafen solche Schlachtenbummler auf sehr erboste Fischweiber, dann wurden sie mit einer ganzen Suada unflätiger Schimpfwörter bedacht, wie »Sinndagsgesell, Moandagsjung, Kurrekaptein, Entemajor, Heenerföler, Staketeseicher« und anderes mehr.

Einmal bot ein Student seinen Kommilitonen folgende Wette an: er würde eine Fischfrau, ohne sie direkt anzusprechen, so »in Harnisch« bringen, daß sie die Fassung verlieren würde. Gesagt, getan, zog nun eine muntere Corona auf den Fischmarkt. Dort stellte sich besagter Student an einen Fischstand und zitierte, ohne die Fischfrau sonderlich zu beachten:»Nominativ, Genitiv, Dativ, Akkusativ« – und dies wiederholte er mit sich steigernder Stimme immer von neuem. Die Fischfrau achtete zunächst überhaupt nicht darauf, zeigte dann Verwunderung im Gesicht, bald auch wachsendes Befremden, und plötzlich schrie sie angstvoll: »Hilfe! Hilfe! Hier ist ein Verrückter! Der redt immer so gruslige Wörter!« Der Student hatte gewonnen und die Lacher auf seiner Seite!

Daniel Staschus hat eine solche originelle Szenerie eingefangen:

Dicke Köpp on dicke Liewer
hebbe onse Kuppelwiewer
on ne grote Schabberschnut,
dat dem Düwel doavor grut!

Wenn se biönander hucke
wie de ohle Eierklucke,
moake se, daß Gott erbarm,
eenem förchterliche Larm.

45

Bloase ihsigkohle Winde,
fröre se bekanntlich hinde
on dann sette se söck ropp
oppen heete Kohletopp.

Wenn dat Füer onderm Gesäße
utgeiht, sönd se glupsch on böse
on verstoahne keinem Spoaß!
Wie se schömpe, hör man bloaß!

So'n Pomuchel, so'n Lachodder!
Dammelskopp, wöllst möt dem Kodder
om de Ohre? Lus'ger Krät!
Schmiet em doch wat ön de Frät!

On se schmiete fohrts möt Fösche;
ganz egoal wat se erwösche,
fule Kruschke, on möt Dreck!
Mönsch, tarbarm di, goah bloß weg!

Außer dem Altstädtischen Markt und dem Fischmarkt gab es in den verschiedensten Stadtteilen noch andere Märkte, so zum Beispiel den Kohlmarkt am südlichen Ufer des neuen Pregels, zwischen Schönberger Straße und Kneiphöfischer Langgasse, wo die litauischen Wittinnen anlegten und ihr Gemüse feilboten; den Viehmarkt, den Lindenmarkt, auf dem außer Geschirr, Ton- und Kurzwaren auch Thorner Katharinchen und Pfefferkuchen angeboten wurden.

Auch auf dem Trommelplatz an der Steindammer Wallstraße wurde regelmäßig Markt gehalten und zur Johannizeit den ganzen Münchenhof entlang bis zum Weidendamm Krammarkt. Namen wie Roßgärter Markt, Fleisch- und Brodbänkenstraße deuten darauf hin, daß auch hier früher Verkaufsstände gewesen sein mußten. Das gilt ebenso für den Gesekusplatz, der erst nach Abbrucharbeiten um 1867 entstanden war und auf dem an bestimmten Markttagen alles mögliche angeboten wurde.

Alle diese Märkte waren nicht nur eine nützliche Einrichtung, sondern boten auch Auge und Ohr manchen Anlaß zu nachdenklicher und heiterer Betrachtung. Wohl jeder Königsberger hat davon Gebrauch gemacht, dabei dem verführerischen Ruf »Recht heete fette Worscht, recht heete!« Folge geleistet oder sich an einem »Schalchen Fleck« ergötzt.

»Königsberger Fleck« war eine besondere Spezialität, von vielen hochgeschätzt, bei manchen Hausfrauen jedoch wenig beliebt. Es gab die Redensart, ein Mann könne die Liebe seiner Frau erst dann richtig kennenlernen, wenn sie sich bereit erkläre, ihm Fleck zu kochen. Damit hatte es folgende Bewandtnis: Kleingeschnittene »Kuddeln« (Kutteln) mußten vier bis fünf Stunden gekocht werden – und die Wohnung »duftete« entsprechend. Hinzu tat man dann Pfeffer, Salz, Majoran, Mostrich und Essig in maßvollen Portionen, ein knuspriges Brötchen durfte nicht fehlen, und dann war dieser »Königsberger Fleck« ein Hochgenuß. Als Studenten suchten wir häufig auf dem Unterrollberg 18 das älteste Königsberger Flecklokal auf, genossen einen Teller Fleck schon an einem »schubbrigen« Vormittag, erst recht abends. Wenn wir »duhn« waren, taten wir in die Brühe reichlich Essig hinein, das machte uns wieder nüchterner.

Wenn hier schon von originellen Königsberger Gerichten die Rede ist, so seien noch zwei genannt, die Königsbergs Namen weit hinausgetragen haben. Dazu zählten die »Königsberger Klopse«: Aus gleichen Teilen Rind- und Schweinehackfleisch wurden sie mit alten Brötchen (nur nicht zu viele!), Ei, Zwiebeln, Pfeffer und Salz geknetet und im Wasser mit Lorbeerblatt und Gewürzkörnern gekocht; zum Schluß gab man in die mit Mehl angerührte Tunke Zitronensaft oder saure Sahne, Eigelb und Kapern.

Am meisten bekannt geworden ist aber wohl das »Königsberger Marzipan«. Schon 1525, also zu Herzog Albrechts Zeiten, wurde es hergestellt, und sein Ruhm hat sich bis heute erhalten. Wenn man zur Weihnachtszeit durch Königsbergs Straßen ging und die Auslagen der Schaufenster, vor allem bei den Konditoreien Gehlhaar und Schwärmer, bewunderte, stieß man auf wahre Prachtstücke. Ein alter Bäcker erinnert sich: »Königsberg war seit altersher neben Thorn und Lübeck die Stadt mit großer Tradition für Weihnachtsgebäck. Aber an Mannigfaltigkeit wurde sie wohl von keiner Stadt im ganzen Reich übertroffen. Die Hauptstücke waren die großen Marzipansätze bis zu einem halben Quadratmeter mit einem breiten, braun gebackenen, in mannigfacher Verzierung prangenden Rand, in der Mitte auf Marzipanboden mit Zuckerguß aber waren richtige Stilleben von kandierten Früchten und nachgeahmten Blumen aus vielerlei Fruchtmassen angeordnet. Daneben standen Marzipanherzen in gleicher Ausführung und in allen Größen, kleine Stücke Randmarzipan, leckeres Teekonfekt aus Marzipan und schöne braune, in Kakao gerollte Marzipankartoffeln, eins immer anziehender als das andere.«

Mit dem Beginn unseres Jahrhunderts verschwand manches aus dem Straßenbild, etwa die Kalmus und weißen Sand verkaufenden Jungens, beides benutzte man zum »Ausfliehen« der Fußböden. Immer seltener wurden auch Verkaufsstände mit Glücksfiguren zu Silvester wie Mann, Frau, Wickelkind, Brot, Ring, Geld, Schlüssel oder Totenkopf. Dafür haben sich einige Lebensweisheiten bis in unsere Tage erhalten: »Läwer god läwe on daför e Joahr länger!« oder »Äte on Drinke hölt Liw on Seel tosamme und manche Mönsche nöhre söck davon!« Zu solchen Erkenntnissen zählte auch: »Veel Köpp, veel Sönn!« oder »Helpt et nich – so schadt et nich.« Man empfahl: »E kleenet Etwas öss beter als e grotet Gornuscht!« oder »Wat man nich ändre kann, sitt man gelate an!« Böser klang schon: »Morgenstund heft Göld öm Mund, awer Bli öm Narsch«, »Ärger di erscht am drödde Dag!«, »Wat de Ooge nich sehne, kann dat Herz nich bejoemere«; noch abfälliger klang: »Öck si besoape – dat vergeit, on du böst dammlich – on dat blöfft!«

Die Erinnerung an die bunte Szenerie auf Königsbergs Straßen und Plätzen wurde am Portal der Stadtbank in der Vorstädtischen Langgasse in Plastiken aus Cadiner Majolika festgehalten. Unter den Alt-Königsberger Originalen durften die Handelsfrauen nicht fehlen. Wenn man sie dort schmunzelnd betrachtete, fiel einem jener Rheinländer-Kehrreim ein, nach dem auch getanzt wurde:

»Hoalt Stint, hoalt Stint, hoalt Stint, solang noch welche sind!« Auf der gegenüberliegenden Pregelseite, beiderseits der Freitreppe der 1875 auf mehr als 2200 eingerammten Pfahlrosten erbauten Börse, grüßten die »Gebrüder Löwenstein« herüber. So nannte man ironisch die beiden Sandsteinlöwen, die den Zugang zum »Börseanerheiligtum« hüteten.

Auch an anderen Stellen der Stadt gab es noch originelle Zeugen der Vergangenheit. Zum Beispiel war am mittelalterlichen Altstädtischen Rathaus eine die Zunge herausstreckende Spottmaske zu sehen, die die Kneiphöfer ärgern sollte. Der Volkswitz nannte sie »Japper«. Später wurde sogar auf einem der Rathaustürme ein beim Uhrenschlag die Zunge herausstreckender bärtiger Kopf aufgesetzt. Als das Uhrwerk durch einen hineingeflogenen Sperling zerstört wurde, nannten die Kneiphöfer die Altstädter hämisch »Sperlingsschlucker«. Schließlich wurde 1832 über dem Rathausportal ein neuer »Japper« in Form eines Löwenkopfes angefügt, der wiederum bei jedem Stundenschlag seine Zunge zeigte.

Der Stadtteil Löbenicht, der sich gegenüber Altstadt und Kneiphof lange als armer Schlucker fühlte, fand auch einmal Anlaß zum Ärgern. Als man nämlich auf einem Wohnhaus einen Neptun mit Dreizack aufgestellt sah, hielten die Löbenichter den Gott für einen Bauern mit Mistgabel und glaubten sich in der in ihrem Stadtteil vorwiegenden Ackerbürgertätigkeit verspottet.

Im Konkurrenzkampf der drei Städte hatten die Kneiphöfer den Altstädtern mit einem Brückenbau einen bösen Streich gespielt. Die 1542 errichtete Honigbrücke soll ihren Namen erhalten haben, weil die Kneiphöfer Herzog Albrecht zur Einwilligung in die Erbzeise angeblich Honig geliefert haben sollen. Fortan wurden die Kneiphöfer mit »Honiglecker« tituliert.

Wie oft bin ich an milden Frühsommerabenden durch Altstadt und Kneiphof geschlendert, habe am Pregelufer oder einem stillen Plätzchen eine besinnliche Pause eingelegt! Wenn ich dabei in die Nähe des Lindenmarkts kam, wanderten meine Gedanken unwillkürlich in jene idyllischen Zeiten zurück, als dort im Kürbisgärtlein von Heinrich Albert der »Königsberger Dichterkreis«

tagte. Während das übrige Vaterland von den Wirren des Dreißigjährigen Krieges heimgesucht und entvölkert wurde, blühte
hier etwas Seltenes und Kostbares auf: verschwendend geschenkte Freundschaft, geistig beschwingtes Leben und, in dem Spiel mit
auf Kürbissen eingeritzten Allegorien, ein Abbild der Barockzeit
voll Lebensfreude und Todesahnung zugleich. Simon Dach
(1605–1659), Professor der Poesie an der Albertina – der an die
tausend Gedichte auf Bestellung gemacht hat! – war der bedeu-
tendste Kopf dieses Kreises, aber auch der kompositorisch begabte Domorganist Heinrich Albert (1604–1651), der weitgereiste
und einflußreiche Robert Robertin (1616–1648) und der Hofka-
pellmeister Johannes Stobäus (1580–1646) schufen den Rahmen,
der Königsberg in jenen Jahrzehnten so vortrefflich ausgezeichnet
hat.

Nicht nur das »Ännchen von Tharau« oder »Getzund heben
Wald und Feld wieder an zu klagen«, haben sich bis auf den
heutigen Tag erhalten; am Rührendsten klingt wohl immer noch
Simon Dachs »Lied der Freundschaft«, das mit den Worten
beginnt:

> Der Mensch hat nichts so eigen,
> so wol steht ihm nichts an,
> als daß er Trew erzeigen
> und Freundschafft halten kan . . .

Auf Sackheimsch

Der »Uradel« von Königsberg wohnte auf dem Sackheim. Dies war bestimmt nicht die vornehmste Stadtgegend, aber sie war originell und von solider Arbeiterbevölkerung besiedelt. Zweimal habe ich selbst die Sackheimer genossen: in den ersten Schuljahren im Hause Sackheim Rechte Straße 27, da mein Vater an der dicht benachbarten Uhlandschule unterrichtete, dann in für mich schwierigen Zeitläuften nach 1933 in der Yorkstraße 42 gegenüber dem Eingang zum Garnisonlazarett. Da ich außerdem noch als Student einige Jahre ehrenamtlich im »Kaiser-Wilhelm-Wohlfahrtshaus«, unweit des Arresthausplatzes, bei Jugendverbänden mithalf, gewann ich gerade in diesem Stadtteil viele Bekannte, ja Freunde, so daß mir die Sackheimer besonders vertraut und lieb geworden sind.

Es war auch ein originelles Völkchen, das zwischen Sackheimer Tor und der Rechten Straße, in der Mittelstraße, in der Friedmannstraße, in der Bülowstraße, in der Blumen- und Sedanstraße, im Prinzhauseneck, im Flinsenwinkel oder am Arresthausplatz wohnte. Die »Freiheit Sackheim« war als ältestes Prußendorf schon vor der Gründung Königsbergs vorhanden gewesen. Ihr Wappenschild wies ein weißes Lamm mit roter Kreuzfahne auf grünem Anger auf. Aber so lammfromm waren die Sackheimer nun wirklich nicht.

Da gab es doch im Kupfergraben vor dem Sackheimer Tor ein seltsames Kinderspiel: man fing kleine Stichlinge, schlug sie auf den Kopf und ließ sie dann wieder schwimmen. Das taten sie auch, drehten sich aber immer nur im Kreis. Das nannte man »die Stuckse katholisch machen«! Überhaupt war es vor dem Sackheimer Tor interessant. Da gab es den »Litauer Baum«, weil früher der Pregel hier mit Holzstämmen so lange abgesperrt werden

51

konnte, bis die ankommenden Kähne ihren Zoll entrichtet hatten. Dann ging es, an der modernen Zellstoffabrik vorbei, nach Jerusalem, Palmburg und in die Wojedie. Das waren einst Kirchdörfer, befestigte Schanzen und von Raubrittern heimgesuchte Landschaften gewesen, in unseren Tagen aber Erholungsstätten für Wanderer und Wassersportler.

Gleich beim Sackheimer Tor war das 1701 gestiftete »Königliche Waisenhaus«, wie ein Schloßflügel ebenfalls ein Bauwerk von Schultheiß von Unfried. Es wurde von den Rittern des Schwarzen Adlerordens unterhalten und war stolz darauf, daß der Adler auf seinem Turm als einziger Königsbergs während der Russenherrschaft im Siebenjährigen Krieg nicht durch den russischen Doppelaar ersetzt worden war.

In der Friedmann- wie in der Bülowstraße haben ursprünglich mal Scharfrichter und Abdecker gewohnt – auch Käthe Kollwitz zählte einen Scharfrichter von dort zu ihren Vorfahren! Der Hofscharfrichter hat ebenfalls hier residiert, der manchen einen Kopf kürzer gemacht hat. Noch in unseren Tagen roch es in dieser Gegend anhaltend nach einer Abdeckerei!

Originell war auch der Arresthausplatz. Ursprünglich hatten sich hier ein Nonnenkloster und eine Elisabethkirche befunden, in der Gottesdienst in litauischer Sprache abgehalten worden war. Dann hatte man daraus bis 1895 ein Militär-Arresthaus gemacht. Inzwischen war der Platz längst eine Marktstätte, auf der die Früchte des ostpreußischen Landes in Gestalt von Kartoffeln, Gemüse und Obst, zugleich aber auch alle Fischsorten feilgeboten wurden. Hier ging es stets munter zu, Daniel Staschus hat die Ausrufe in Versen wie diesem eingefangen:

> Madamke, koame Se, on sehne
> söck disse Plume an, dö scheene,
> Se send scheen frösch on ganz gesund,
> Twee Dittke, twee Dittke, dat Pund!

In den vielen Kneipen und Bierlokalen des Sackheims saßen nach Arbeitsschluß, besonders am Freitag, die »Marktweiber« und

Der Obere und Untere Fischmarkt waren Sehenswürdigkeiten besonderer Art.
Bei Wind und Wetter hielten die Fischfrauen ihre Waren feil. Einem hörens-
werten Disput waren sie nie abgeneigt.

Im »Blutgericht« unter dem Schloß leerten die Königsberger manches Glas.
Wer Rang und Namen im wirtschaftlichen, politischen und künstlerischen
Leben der Stadt hatte, stellte sich regelmäßig ein.

»die Sackheimer« bei einem Klaren, einem Ponarther oder Schönbuscher Bierchen vergnügt beisammen. Dann konnte man dem Volk so recht aufs Maul schauen, denn da wurde auch noch »pladdietsch« gesprochen. Robert Johannes hat von einem solchen Könner des Plattdeutschen gesagt:

E pladdietscher Keerl von Kopp bet to Fööt,
so si öck onn wer öck so bliewe;
e pladdietscher Keerl von Hart onn Gemöth,
trotz allem Gedoh onn Gedriewe.

Bei solchem Umtrunk wurden Lebensweisheiten geboren wie diese: »De Käksche on de Katt, de ware ömmer satt« oder »E gnosiget Farkel ward manchmoal noch e erdäget Schwin«. Lehrreich waren auch Sentenzen wie »Hol de Buuk di warm, hol de Buuk di oape, denn lat dem Doktor lope.« oder »Muuske duun, Kornke bötter.« War die Stimmung schon sehr fortgeschritten und schwankte jemand bereits bedenklich, dann tröstete man ihn: »Dem Besoapne leggt de lewe Gott e Kösske under.« Half auch ein Kissen nicht mehr, dann mußte die Heimfahrt mit der »grünen Minna« oder dem »Nasenquetscher« angetreten werden. Dieser sogenannte »Renitentenwagen« zwang den allzu Betrunkenen, sich lang zu legen, und dann wurde ein Deckel wie beim Sarg zugeklappt. Unter dem Gejohle der Umstehenden ging es dann zur Ausnüchterung nach »Numero Sicher« in die Junkerstraße 8 (ins Polizeipräsidium).

Mancherlei seltsame Sagen kreisten um den Sackheim und sein Pregelufer. So soll einmal ein Schlittschuhläufer in eine Wuhne des sonst zugefrorenen Pregels gestürzt sein, wobei ihm der Kopf abgeschnitten wurde. Am nächsten Eisloch sei er dann wieder aufgetaucht, wobei sich der abgeschnittene Kopf wieder mit dem Rumpf vereinigt habe. Erst als der Schlittschuhläufer in der warmen Wirtsstube nießen mußte, sei der Kopf wieder heruntergefallen.

Ein nicht mehr ganz stubenreiner Witz wird von einem Saufbruder erzählt, der – voll schlechten Gewissens – einen Aal gekauft und zum Nachhausebringen in die Hosentasche gesteckt hatte. Als er unterwegs ein menschliches Bedürfnis verspürte, hatte er anstelle seines »Piphahns« den Aal erwischt und stellte verwundert fest: »Nun hab' ich den schon fünfzig Jahre, aber daß er Augen hat, sehe ich heute zum ersten Mal!«

Was soll ich noch vom Sackheim und seinen Menschen erzählen? Da gab es zum Beispiel die Sedanstraße, die am Sedantag (der Erinnerung an die entscheidende Schlacht im Französischen Krieg von 1870/71) genau so beflaggt und illuminiert war, wie am Arbeiterfeiertag, dem 1. Mai. Mit großem Hallo wurde dann der »Paukenhund« der 43er unter Musikmeister Krantz begrüßt. Das war 1866 bei der Schlacht von Königgrätz eine Auszeichnung für das in Königsberg stationierte Infanterieregiment 43 geworden, welches den Paukenhund einem österreichischen Regiment abgenommen hatte und nun aus Tradition weiterführen durfte. Der Brauch mit dem Paukenhund Sultan oder Pascha, der vor einem Wägelchen die große Pauke zog, hat sich bis zum Schluß erhalten. Im April 1945 hat der letzte Betreuer der Hunde diese und dann sich selbst erschossen.

Über den Sackheim gingen in früheren Jahrhunderten auch die beliebten »Wurst- und Strietzel-Umzüge«. Man kann sich heute keinen Begriff mehr davon machen, daß eine solche »lange Wurst« aus 434 Pfund Fleisch hergestellt wurde, wobei man 81 Schweineschinken und 18 Pfund Pfeffer verbrauchte. Am Neujahrstag schleppten 103 Fleischergesellen die Riesenwurst durch die Straßen der Stadt, während sich die Bäcker am Dreikönigstag mit feinsten Striezeln revanchierten. Diese wurden im Schloß und bei der Stadtverwaltung als Schmeckproben serviert und hernach der Rest unter das Volk verteilt. Natürlich wurde dabei auch viel Bier benötigt. »Schmeckbier« gab es am Himmelfahrtstag von den Brauereien.

Bis in unsere Tage hatten sich noch einige rührende Bräuche erhalten, so das »Kurrendesingen« oder am Heiligen Abend die Weihnachtsmusik der Schulz'schen Stadtkapelle. Das Kurrendesingen führte seine Tradition auf eine mittelalterliche Gewohnheit zurück. Damals hatten nämlich die einzelnen Städte ihr

Pauperhaus, in dem auch dreißig bis vierzig elternlose oder arme Kinder untergebracht waren. Unter Aufsicht eines Ratsherrn oder Pfarrers zogen sie täglich in ihrer besonderen Tracht singend durch die Straßen und erbettelten ihren Lebensbedarf. Da es soziale Einrichtungen im heutigen Sinn nicht gab, waren diese Ärmsten auf die Hilfsbereitschaft der Bürger angewiesen. 1799 wurde das Kurrendesingen verboten, weil es in aufdringliche Bettelei ausgeartet war. In den dreißiger Jahren unseres Jahrhunderts trat wieder ein Kurrendechor – natürlich ohne Sammelei – in Aktion, doch ließ sich solche Tradition nicht mehr lange künstlich beleben.

Ein besonders schöner Brauch am Heiligen Abend war das »Weihnachtsblasen«, das sich bis in die letzten Tage Königsbergs erhalten hat. Die Stadtmusikanten – die zweimal am Tag vom Schloßturm um 11 und 21 Uhr Choräle ertönen ließen – zogen durch die namhaftesten Straßen der Stadt und ließen die schönen alten Weihnachtslieder durch ihre Trompeten und Posaunen erklingen. Erst dann zündete man die Lichter des Weihnachtsbaums an.

Die Sackheimer als wesentlicher Teil der Gesamtbevölkerung Königsbergs hatten ihr Herz auf dem rechten Fleck und waren einer fröhlichen Begegnung nie abgeneigt. Zumal am Wochenende waren die zahlreichen Lokale gut gefüllt, Gläserklang und muntere Gespräche wechselten ab. Dabei wurden auch so allerlei »Lebensweisheiten« an den Mann gebracht, zum Beispiel: »Eß man, eß, bist zu Besuch und das Fell reckt sich!«

»Sitz nich da wie e Flammfladen!«

»Der Kopf muß hoch sein, und wenn der Hals auch dreckig ist!«

»Zieh keine Flunsch, laß nich de Flochten hängen!«

»Der Mensch kann noch so dammlich sein, er muß sich bloß zu helfen wissen!«

Schon kritischer waren Redensarten wie diese:

»Den kann ich nich besehen!«

»Hast Keilchen im Mund?«

»Was zum Schweinstrog ausgehauen ist, wird im Leben kein Vigilin!«

»Er ärgert sich noch de Plautz voll!«

»Dem geht de Zung auf Schlorren!«

»Der sauft Steine ausse Erd!«

Manchmal kamen auch die Frauen schlecht weg:

»Die hat sich aufgedonnert wie e Pfingstochs!«

»Die kann einen dumm und dammlich reden!«

»Der Mann is de Kopp, aber die Frau is das Mützche!«

»Kinder wie de Bilder, Gesichter wie de Oape!«

Schließlich nahm ein solcher »angebrochener Abend« zumeist doch ein gutes Ende. Man tröstete sich gelassen mit der Erkenntnis: »Der Faule schläft sich zu Tod, der Fleißige rennt sich zu Tod, sterben müssen sie beide!« Freud und Leid haben Häuser und Straßen dieses volkreichen Sackheims erfüllt und den dort wohnenden »Uradel« von Königsberg – die Arbeiterschaft nämlich – einen achtbaren Beitrag zum Gesamtbild der Stadt leisten lassen.

Unser steinernes Geschichtsbuch

In meinem Wohnzimmer hängt ein großes Bild des Königsberger Schlosses, eine Radierung von Hugo Ulbricht aus dem Jahre 1908. Dem Beschauer bietet sich der Aufblick zum Schloß und Schloßturm vom schneebedeckten Kaiser-Wilhelm-Platz. Eine Straßenbahn der Linie 2 schickt sich gerade zur Weiterfahrt nach Kalthof an. Über den Platz gehen pelzverhüllte Frauen und zwei »Börseaner«, ein Dienstmann hält stramm Wacht wie ein »rocher de bronce«. Wie oft habe ich auf diesem Platz gestanden, denn er führte ja durch die Altstädtische Langgasse unmittelbar zu meinem Gymnasium und nach Schulschluß mit dieser Linie 2 zur elterlichen Wohnung in den Vorort Kalthof. Auch später habe ich diese Stadtgegend oft genug durchquert und dabei das Schloß von allen Seiten umwandert.

»Unser steinernes Geschichtsbuch« hat Professor Gause, der Historiker Königsbergs, das Schloß zu Recht genannt, denn als um die Jahreswende 1254/55 Ritter und Reisige des Deutschen Ritterordens den Hügel Tuwangste, eine Bodenschwelle über dem Pregelfluß an der Kreuzung wichtiger Landstraßen, erklommen hatten, wurde mit dem Burgbau begonnen. Der Böhmenkönig Ottokar II. und sein Schwager Markgraf Otto von Brandenburg erkannten mit strategisch geschultem Blick, daß sich hier eine Burggründung zur Sicherung des Samlandes anbot. Ottokar hat weder Burg noch Stadt Königsberg wiedergesehen, aber – so sagt Gause – »es war ein Akt diplomatischer Höflichkeit, wenn der Hochmeister die Burg nach seinem königlichen Mitstreiter benannte. So wurde ein Tscheche Namenspatron von Königsberg, und die Stadt hat sein Andenken stets in Ehren gehalten«.

Zwar waren die ersten Anfänge bescheiden, aber mit ihnen beginnt dennoch ein Stück deutscher und ebenso europäischer

Geschichte. Prußenaufstände lähmten zeitweilig den Fortgang der Bauarbeiten, aber 1286 konnte die »Handfeste« als Gründungsurkunde übergeben werden. Jahrhunderte haben dann weitergebaut, am meisten der erste Preußenkönig Friedrich I., der in dem Baumeister Joachim Ludwig Schultheiß den genialen Gestalter einer königlichen Residenz fand. Friedrichs gestrenger Sohn Friedrich Wilhelm I. hat im Rahmen seiner Ordnungsvorstellungen vom staatlichen und wirtschaftlichen Leben die bisher selbständigen Städte Altstadt, Kneiphof und Löbenicht 1724 in einer Stadtverfassung zur Einheit zusammengezwungen. Seitdem ist gewiß noch manches umgebaut worden; 1864 mußte der altersschwache Schloßturm durch einen strengen, leider stilwidrigen Ziegelbau von 82 Meter Höhe ersetzt werden, ansonsten aber ragte das Schloß jahrhundertelang beherrschend über einer 700 Jahre alten Stadt auf.

Was hat dieses Königsberger Schloß nicht alles gesehen? Zwei Königskrönungen, 1701 und 1861, daher nannte sich die Stadt stolz »Königliche Haupt- und Residenzstadt Königsberg in Preußen«. Gefürstete Häupter haben in ihren Mauern geweilt, Zar Peter der Große hat vom Moskowitersaal aus sinnend in die weite Landschaft geschaut, Königin Luise hat hier in trüben Stunden des Vaterlandes Zuflucht gesucht, ehe sie über die Kurische Nehrung in die äußerste Ecke nach Memel flüchten mußte. Napoleon hielt sich hier als Sieger auf und dann als in Rußland Gescheiterter. Zuletzt hat 1910 Kaiser Wilhelm II. eine glanzvolle Prunkschau abgenommen.

Jahrhundertelang hat man an diesem Schloß herumgebaut, bis aus alledem jenes imposante Viereck geworden war, das den 105 Meter langen und 67 Meter breiten Innenhof umschloß. Ursprünglich waren in den umstehenden Gebäuden die Kanzlei der Verwaltungen, die Gerichte nebst »Peinkammer« und auch Behausungen der Bediensteten untergebracht gewesen. Aber schon 1608 heißt es stolz: »Dort stehet das Schlos wol gezirt, welches Könsberg genennt wird. Den hohen Thurm siht man das fein, Daran wol vier Uhr Zeyger, sein, Den Pallast mit den Giebeln drey.« Die erste große Prachtentfaltung hat das Schloß am 18.

Januar 1701 gesehen, nachdem der letzte Kurfürst in jahrelangen schwierigen Verhandlungen mit Kaiser Leopold I. die Königswürde für sein souveränes Herzogtum Preußen erlangt hatte. Mit einem für damalige Zeiten riesigen Aufgebot – nämlich seinem ganzen Hofstaat und 300 Gepäckwagen – war das Herrscherpaar in Königsberg eingetroffen. »Am 14. Januar«, so berichtet Gause in seiner »Geschichte der Stadt Königsberg«, »bewegte sich ein prächtiger Zug durch die Stadt. Vier kostbar gekleidete Herolde, vierundzwanzig Trompeter und zwei Pauker, der Obermarschall mit sechzig Edelleuten und eine Schwadron Reiter ritten durch die Straßen, und die Herolde verkündeten vor dem Schloß und vor den drei Rathäusern dem jubelnden Volke die bevorstehende Krönung. Am 17. Januar stiftete Friedrich den ersten preußischen Orden, den Orden vom Schwarzen Adler mit dem Wahlspruch ›Suum cuique‹.«

Am Tage des großen Ereignisses krönte der König sich wie auch seine Gemahlin im Audienzsaal des Schlosses. Der Herrscher – sehr auf Formen bedacht – ärgerte sich nur, daß die Königin dabei aus einer Tabatiere schnupfte, die ihr Zar Peter der Große geschenkt hatte! Der Schaulust des Volkes wurde hernach in einem feierlichen Umzug über den Schloßhof Rechnung getragen. Zwei von je acht Edelleuten getragene Baldachine, unter denen König und Königin feierlich-gemessen schritten, zeigten das Paar in rotsamtenen Königsgewändern, reich mit Diamanten besetzt, mit goldenen Adlern und Kronen bestickt und mit Hermelin gefüttert. Die farbenprächtigen Uniformen der Offiziere, Edlen und Hofbeamten standen ihnen kaum nach. War alles das – in jener Zeit mit ungewöhnlichem Kostenaufwand in Szene gesetzt – »in seinem Ursprung ein Werk der Eitelkeit, in seinen Folgen war es ein Meisterstück der Politik«. Hier in Königsberg wurde also das preußische Königtum geboren.

In diesem Königsberger Schloß hat sich am 18. Oktober 1861 Wilhelm I., und zwar in der Schloßkirche, gekrönt. Oberstudiendirektor Dr. Hugo Novak hat darauf hingewiesen, daß der König sich und seiner Gemahlin die auf dem Altar liegende Krone selbst aufs Haupt gesetzt und auf eine kirchliche Salbung verzichtet hat.

Die Krönung war – im Zeitalter des bürgerlichen Liberalismus – eine Demonstration preußischen Selbstbewußtseins. Das Volk vertrat Eduard von Simson – von Haus aus jüdischer Mitbürger Königsbergs, dann geadelt, Präsident des Abgeordnetenhauses und später des Reichsgerichts. Am Krönungsbild hat die »kleine Exzellenz« Adolph von Menzel dreieinhalb Jahre gemalt, schließlich mußten 163 Personen darauf Platz finden!

»Für beide Krönungen« – so Gause – »war Königsberg nur Schauplatz der Handlung, die Bürgerschaft nur Zuschauer. Sie haben aber doch diesem Schauplatz einen lange anhaltenden Glanz verliehen und die Königsberger in ihrem Bewußtsein gestärkt, daß ihre Stadt mehr war als der Vorort einer Provinz, daß ihr die Geschichte den besonderen Rang einer Krönungsstadt gegeben hat.«

Der von Schultheiß von Unfried erbaute Südostflügel des Schlosses beinhaltete die königlichen Gemächer, später den Ahnensaal mit Stammbaum der Hohenzollern, Fahnen und Standarten dazu. Im Westflügel befand sich die 1584/1594 erbaute Schloßkirche, die später die Wappen sämtlicher Ritter des »Schwarzen Adlerordens« zeigte. Sie war trotz ihrer barocken Innenausstattung von 1705/10 das letzte Werk der Ordensbaukunst. In diesem Teil befand sich auch einer der größten Säle Deutschlands, der Moskowitersaal mit 83 Metern Länge und 18 Metern Breite. Gause schildert ihn so: »Der Festsaal über der Kirche, auf den 1711 fälschlich der Name Moskowitersaal von einem anderen Raum im Schloß übertragen wurde, ... hatte eine flache Kassettendecke, die nicht auf den Wänden ruhte, sondern an Ketten vom Dachgestühl herunterhing. Sie wurde 1877 durch eine flachbogige Holzdecke ersetzt, wobei der Saal durch die Hinzunahme des darunterliegenden Kornbodens erhöht wurde.« In diesem Teil des Schlosses waren später das Prussia-Museum, die Wirkungsstätte Dr. Gaertes, mit seinen vorgeschichtlichen Abteilungen untergebracht, außerdem Volks- und Landeskundliches; dann war hier auch Platz für die Kunstsammlungen, um die sich Anderson und Rohde verdient gemacht haben.

Der Nordflügel des Schlosses gab dem Oberlandesgericht Raum.

Hier befand sich zu ebener Erde der Eingang zum »Blutgericht«. Seine buntscheckige Geschichte hat Dr. Walther Franz in einem Bändchen »Vom Blutgericht zu Königsberg« nachgezeichnet. Hier haben nicht nur die »Gefürsteten« des Geistes, sondern die meisten Königsberger Bürger aus besonderem Anlaß, aber auch in geselliger Runde ihren Rotspon »Blutgericht Nr. 5« und manchen anderen edlen Tropfen aus dem Hause von Schindelmeisser und seiner Nachfolger (zuletzt Matzdorf) getrunken. Lange noch war in Erinnerung geblieben, daß im Rahmen der Pachtgebühr für die Weinkellerei auch 10 Taler für den Unterhalt der Pumpe vor dem Eingang der Kellereien im Westflügel entrichtet werden mußten, was natürlich Spötter zu bissigen Bemerkungen reizte.

In diesem Blutgericht haben, angefangen von E. T. A. Hoffmann und Heinrich von Kleist, viele namhafte Geister geweilt, etwa Felix Dahn, Ernst Wiechert, Carl Hauptmann, Paul Fechter, Carl Bulcke, Heinrich Spiero, Max Halbe, Arno Holz, Hermann Sudermann, Wilhelm von Scholz und Thomas Mann. Auch der in Königsberg geborene Filmschauspieler Harry Liedtke, der so typisch ostpreußische Schauspieler Paul Wegener, der aus Tapiau stammende Maler Lovis Corinth und die Intendanten Leopold und Fritz Jessner haben in diesen fässerbestandenen stimmungsvollen Räumen so mancher Flasche den Hals gebrochen. Auch Richard Strauß, Siegfried Wagner und Heinrich Schlusnus haben es besucht. Wer Rang und Namen im wirtschaftlichen, politischen und künstlerischen Leben hatte, stellte sich hier regelmäßig ein. Auch ich bin oft mit illustren Gästen dagewesen. Wenn man dann im Gästebuch blätterte, schmunzelte man verständnisinnig bei Versen wie denen des Überbrettel-Dichters Ernst von Wolzogen:

> Versagt ist mir der Ruhm des Zechers,
> denn ich bin kein Athlet des Bechers,
> nie bin ich untern Tisch gesunken,
> nie war ich richtig noch betrunken.
> Allein an guten alten Flaschen
> andächtig mit Verständnis naschen,
> bis der befreiten Seele Schwung

sich steigert zur Begeisterung . . .
ja, das gelingt mir dann und wann!

Schwierigkeiten gab es mitunter, wenn man nach langem Umtrunk wieder den Schloßhof erreichen wollte. Robert Johannes,
der geistige Vater von »Klempnermeister Kadereit« und »Tante
Malchen« hat einer solchen kritischen Situation folgende Form
gegeben:

> In unserm lieben Blutgericht –
> hei, wie die Pfropfen knallen!
> Ist mancher, ob er wollt, ob nicht,
> die Trepp hinaufgefallen.
> Herunterfallen ist nicht schwer,
> das können schon kleine Kinder,
> jedoch hinauf! Das ist schon mehr
> ein Kunststück für zechende Sünder.
> Für solche, die des roten Bluts
> zuviel hinuntergegossen,
> die dann die Treppe guten Muts
> für ne Leiter hielten mit Sprossen.

Stand man dann wohl ein wenig schwankend im Innern des
Schloßhofes, wurde man vollends vom Zauber des dunkel gewordenen Platzes eingefangen. Langsam wandte man sich dem Ausgang des Schlosses zum Münzplatz zu. Dort standen immer
Droschken bereit, wobei mir einmal Folgendes passierte: Als
mein Begleiter rief: »Komm schnell, hier stehen bloß noch zwei
Droschken!« nickte der zylinderbehütete Kutscher dieser »Por-
zellanfuhre« und sagte: »Meine Herren, steigen Sie lieber bei mir
ein, denn die andere Droschke ist niemals nicht da!«
Bei dem Luftangriff auf Königsberg vom 29. zum 30. August
1944 blieben von der Innenstadt mit Schloß und Dom nur ausge-
brannte Ruinen übrig. Als in den Apriltagen 1945 die Belagerung
Königsbergs durch die Russen sichtlich zu Ende ging, verkündete
der Gauleiter Erich Koch von seinem sicheren Port Neutief

gegenüber Pillau aus, das Königsberger Schloß werde der »Alkazar Ostpreußens« werden. Am 9. April ging hier – wo der Stab des Volkssturms lag – der letzte Widerstand zu Ende.

Wenn ich in einer nachdenklichen Abendstunde in meinem Wohnzimmer auf das Gemälde des Schlosses schaue, kann ich es nicht fassen, daß selbst von den Mauern nichts übriggeblieben ist. Die Russen haben – obgleich auch ihre Geschichte hier Berührungspunkte hatte – nicht einen einzigen Stein auf dem anderen gelassen. So trostlos niederschmetternd endete die 700jährige Geschichte des Königsberger Schlosses!

Rings um den Dom

Als sich im 12. Jahrhundert um die Burg Königsberg die drei Städte Altstadt, Kneiphof und Löbenicht zu entwickeln begannen, war der Kneiphof gegenüber der Altstadt zunächst benachteiligt. Er mußte nämlich der Ordensherrschaft »jährlich 150 gute Mark zinsen« und hatte auch weniger »Freiheiten« (Landbesitz). Die Wahl seiner Bürgermeister, Ratsherren und Schöffen durfte nur in Anwesenheit der Ordensherren erfolgen. Da sich der Boden für den Häuserbau als zu feucht erwies, mußten alle Gebäude auf Pfahlrosten errichtet werden. Dennoch war der Aufstieg des Kneiphofs nicht aufzuhalten.

Der Name Kneiphof ist häufig aus dem Wort »abkneifen« (durch die Pregelarme) gedeutet worden, in Wirklichkeit leitet er sich vom prußischen »knieipe« (im Wasser zu Boden drücken), also vom sumpfigen Untergrund ab. Seine Prachtstraße war die Kneiphöfische Langgasse, ein Teil der uralten Landstraße von Natangen zum Samland. Hier hatten die Kaufleute ihr Domizil, und noch in unseren Tagen war sie der Sitz von Großhandel und Banken. Freilich hatten die – aus Raumgründen – zur Straßenfront gekehrten Giebelhäuser, als man in der Mitte des vorigen Jahrhunderts die hübschen »Beischläge« vor den Häusern beseitigte, einen erheblichen Teil ihres Reizes verloren.

Bald entstanden als Querstraßen zur Langgasse die Fleisch- und Brodbänkenstraße, die ihrem Namen mit den dort verkauften Waren alle Ehre machten. Um das Rathaus herum gab es einen kleinen Marktplatz. Traditionsreich war der am Dom gelegene Große Domplatz. Er umfaßte einst den größeren Teil des der Kirche überlassenen Kneiphofs. Ursprünglich Peterplatz geheißen, hatte er sowohl als Domhof wie auch als Bischofshof gedient. 1898 hatte man hier die schmucklose Turnhalle des Kneiphöfischen Gymnasiums errichtet. Der Platz hinter dem Dom wurde häufig Kollegienplatz genannt, weil an ihm das alte und das neue Kollegium der Universität lagen.

Dieser Kneiphof war mit seinen vielen Straßen, der Schönbergerstraße, Tränkgasse, Holzwiesenstraße, Klapperwiese, Hofgasse, dem Pauperhausplatz und den Domquergassen stark von Kaufleuten und Gewerbetreibenden bewohnt. Im Mittelalter übten hier Gerber, Tuchscherer, Mälzenbräuer, Fleischhauer, Losbäkker, Böttcher, Schuster, Schneider und Schmiede ihr Handwerk aus.

Aufschlußreich ist es, wie der Orden mit dem Kirchenbau verfuhr. Professor Gause stellt fest: »Eine Kirche erhielt der Kneiphof nicht. Der Dom im bischöflichen Ostteil der Insel, mit dessen Erbauung bald nach 1330 begonnen wurde, war zugleich kneiphöfische Pfarrkirche, also – wohl ein einzigartiger Fall – Bischofskirche und Bürgerkirche zugleich.«

Da dieser Dom die Stätte meiner Konfirmation war und an der Stelle des früheren Bischofssitzes sich das Schulgebäude des Stadtgymnasiums Altstadt–Kneiphof erhob, wir also in den Pausen auf einst geweihtem Boden herumtollten, da die »Stoa Kantiana«, das Kant-Monument, die Beschäftigung mit dem Königsberger Weltweisen geradezu aufdrängte, später der Junkerhofsaal des Kneiphöfischen Rathauses zum Ort meines journalistischen Wirkens wurde, war die Gegend um den Dom schon früh mein täglicher Umgang. Je näher ich sie kennenlernte, um so mehr entdeckte ich ihre kostbaren Schönheiten und seltenen Sehenswürdigkeiten.

In der zweiten Hälfte des 14. Jahrhunderts erlebte Königsberg seinen ersten großartigen baulichen Aufschwung. Damals entstand auch der Dom, den Gause mit Recht »das großartigste Bauwerk des mittelalterlichen Königsberg« nennt. Als man bald nach 1330 mit dem Bau begann, mußte man erst tausende Eichenpfähle in den moorigen Untergrund einrammen. Noch in unseren Tagen konnten wir an der Eingangspforte des Doms feststellen, wie sie dennoch jahraus, jahrein um Millimeter tiefer sank.

Ein halbes Jahrhundert ist an diesem Dom gebaut worden. 1344 war wohl das Bauwerk schon im groben fertig, aber noch nicht geweiht. Daher wurde seltsamerweise dem Grafen Wilhelm von Holland erlaubt, seine Pferde dort unterzustellen. Eine Entweihung des Doms hat übrigens 1807 noch einmal stattgefunden, als die Franzosen den Domchor als Militärgefängnis benutzten. Jedenfalls war der Dom um 1380 vollendet und hat bis zum Feuersturm vom 29./30. August 1944 im wesentlichen so dagestanden, wie er seinerzeit erbaut worden war. Der 88,5 Meter lange, 30 Meter hohe Kirchenbau, dessen Turm eine Höhe von 58 Metern aufwies, war ein schlichtes, aber würdiges Beispiel der Backsteingotik. Das Langhaus war von einer stimmungsvollen Dämmerung erfüllt, auch hinter dem Altar trennte eine Glaswand den Chor ab, selbst die Begräbnisstätten der Fürstlichkeiten, Domherren, Professoren und sonstigen bedeutenden Persönlichkeiten schufen eine Atmosphäre, die alles in allem ein wenig an die Londoner Westminster-Abtei erinnerte.

Hier hat 1523 Johann Briesmann – noch in Mönchskutte – die erste evangelische Predigt gehalten, im gleichen Jahr Bischof Polenz eine Weihnachtspredigt in deutscher Sprache. So mancher andere wortgewaltige Geistliche hat in diesem Raum die Hörer zu bewegen gewußt. Wir zum Beispiel lauschten gerne Geheimrat Johannes Quandt, einem von tiefer Frömmigkeit und warmherzigem seelsorgerischem Verständnis erfüllten Manne, der uns auch konfirmiert hat. Übrigens haben sich unter den Dompredigern auch vier Geistliche jüdischer Abstammung befunden, und der Oberkantor Eduard Birnbaum von der benachbarten Synagoge hat im Dom eine Aufführung von J. S. Bachs Johannespassion dirigiert. Nach der sogenannten »arischen Großmutter« fragte eben damals niemand! Die beiden letzten Pfarrer der Domgemeinde haben ein schreckliches Ende gefunden: Quitschau ist mit der »Steuben« in der Ostsee untergegangen, Bronisch-Holtze starb in SS-Haft. Mein Klassenkamerad, Superintendent Martin Braun, sollte nach dem Tod von Bronisch-Holtze auf die Pfarrstelle am Dom berufen werden, er sagte zu, sobald der Krieg beendet sei. Dazu ist es nicht mehr gekommen.

Der Königsberger Dom blieb die wichtigste Kirche der Stadt. Er war die Grablege der Hochmeister, dann die Grabstätte der Herzöge, späterhin auch der Universitätsprofessoren und ebenso ein Ort der Begegnung für viele Persönlichkeiten des geistlichen und weltlichen Lebens. Simon Dach, 1656 Rektor der Universität am Dom, wurde der geistige Vater eines in der Barockzeit und während der Wirren des anderweits schrecklichen Dreißigjährigen Krieges besonders edlen Kreises, der im Stile jener Zeit Freundschaft und Kultur pflegte.

Früh schon glaubte ich entdeckt zu haben, was es mit Simon Dachs Poem »Ännchen von Tharau« auf sich hatte. In Lilienthals »Erleutertes Preußen« fand ich nämlich: »Er hatte schon unter andern seine Augen geworfen auf eines Priesters von Tharau Tochter, die ihm aber von einem anderen weggenommen wurde, dahero er zum Kurzweil bei dem Braut-Bette das bekannte Liedchen ›Ancke von Tharau‹ schrieb.« Kann man sich meine Enttäuschung vorstellen, als der junge Musikwissenschaftler Professor Müller-Blattau (1895–1976) uns das Autograph Heinrich Alberts vorwies, das nicht nur dessen Komposition dieses Volkslied gewordenen Poems zeigte, sondern auch die handschriftliche Angabe »Area incerti autoris«, woraus Müller-Blattau schloß, nicht Simon Dach sei der Verfasser des Textes gewesen, sondern Heinrich Albert selbst?

Auch die Romantik hat den stimmungsträchtigen Gehalt des Doms zu schätzen gewußt. Das gilt insbesondere für den 1776 in Königsberg geborenen (1822 in Berlin gestorbenen) E. T. A. Hoffmann. Sein Geburtshaus Französische Straße 25 – geschmückt mit einer Plakette von Robert Budzinski – stand noch bis 1945. Er hat besonders die Wallenrodt'sche Bibliothek im Domturm mit ihren Globen, Atlanten, Bildern und Büchern bewundert und diese Stimmung in seinem »Goldenen Topf« durch die Gestalt des Archivarius Lindhorst wieder lebendig werden lassen.

1844 hat der (1810 in Königsberg geborene, 1849 in Berlin verstorbene) Komponist Otto Nicolai, Schöpfer der unsterblichen Oper »Die lustigen Weiber von Windsor«, bei einer Feier zum

300jährigen Universitätsjubiläum die seiner Vaterstadt gewidmete Festouvertüre »Ein feste Burg« im Dom in Anwesenheit des preußischen Königs uraufgeführt. Lovis Corinth (1858–1925), der in der Magisterstraße mehr gehaust als gewohnt hat, ist in den Straßen und Gassen des Kneiphofs umhergezogen. Agnes Miegel (1879–1964) hat als Kind eines Kneiphöfer Kaufherrn diesen Stadtteil gründlich gekannt und geliebt.

Oft genug bin ich im Kneiphöfischen Rathaus gewesen. Ehe der Magistrat 1927 in den neu errichteten »Handelshof« am Hansaring umzog, haben hier Oberbürgermeister Lohmeyer und Bürgermeister Goerdeler ihren Amtssitz gehabt. Im Magistratssitzungssaal war die herrliche Stuckdecke eines unbekannten Meisters zu bewundern. Nachdem der Magistrat das Kneiphöfische Rathaus verlassen hatte, wurde darin auf Anregung des Malers Eduard Anderson (1873–1943) das »Stadtgeschichtliche Museum« eingerichtet. Hatte Anderson – übrigens ein Studienfreund von Lovis Corinth – schon vorher große Verdienste um Königsberg bei der Organisation der Kupferstichsammlung der Universität oder bei den Ausstellungen des Kunstvereins, dann bei der Einrichtung des Schlosses als Zentralmuseum erworben, so konnte er seine vielseitigen Talente bei der Einrichtung des Stadtgeschichtlichen Museums beweisen. Geradezu erstaunlich war, was er an versteckten Schätzen aus alten Häusern oder aus privatem Besitz zusammenholte. Allein vier Zimmer dieses Museums waren Immanuel Kant gewidmet. Ich selbst unterhielt guten Kontakt zu Anderson und konnte seinen populär-wissenschaftlichen Sonntagsvorträgen manche Besucher zuführen.

Das Kneiphöfische Rathaus ist im Laufe wechselvoller Jahrhunderte auch Zeuge trauriger Geschehnisse geworden. Zum Beispiel sind 1566 die herzoglichen Räte Funk, Horst und Schnell vor ihm geköpft worden. Herzog Albrecht war in der zweiten Hälfte seiner Regierungszeit von viel Pech verfolgt worden. Schon seine spät geschlossene zweite Ehe erwies sich als nicht sehr glücklich, da er für die Schulden der verschwenderischen Gemahlin aufkommen mußte. Aus dieser Hinterlassenschaft stammten übrigens die heute verschollenen 17 Bände der »Silber-

»Dort stehet das Schlos wol gezirt, welches Könsberg genennt wird«, heißt es
stolz 1608. Doch schon 1254/55 erkannten Ritter und Reisige des Deutschen
Ritterordens den strategisch wichtigen Platz auf dem Hügel Tuwangste.

Im 14. Jahrhundert erlebte die Stadt ihren ersten großen Aufschwung. Damals entstand auch der Dom, ein schlichtes, aber würdiges Beispiel der Backsteingotik, das als das »großartigste Bauwerk des mittelalterlichen Königsberg« galt.

Bibliothek«, deren Wert mehr im Einband als im Inhalt bestand. Dann war Herzog Albrecht dem eleganten, aber verschlagenen kroatischen Abenteurer Paul Skalich aufgesessen. Da es zur gleichen Zeit Religionswirren gegeben hatte, die der Sache Luthers schadeten, nahm sich der Herzog der sogenannten Exulanten an und besetzte mit ihnen Königsberger Pfarrstellen. Einer von diesen war Andreas Osiander, der seinerzeit den Herzog für den Protestantismus gewonnen hatte. Aber Osiander gab durch sein anmaßendes Auftreten Anlaß zu Streitigkeiten, die zu heftigen Fehden in der Stadt führten. Das ging so weit, daß Osianders Leiche, als er 1552 gestorben war, in der Altstädtischen Kirche öffentlich ausgestellt werden mußte, damit man nicht behaupten konnte, der Teufel hätte ihm das Genick umgedreht. Im Gefolge dieses Osianderstreites kam es zum Todesurteil gegen die drei herzoglichen Räte, was ein glattes Fehlurteil war.

Dann bot der Kneiphof 1662 eine neue aufsehenerregende Szene. Im Rahmen von Verselbständigungsbestrebungen der Stände hatte sich der kneiphöfische Schöffenmeister Hieronymus Roth (1606–1678) als deren Sprecher hervorgetan, war auch zur Stärkung seiner als gerecht empfundenen Sache nach Warschau gereist. Der Große Kurfürst aber wollte seine Staatsautorität durchsetzen, er baute den Bürgern unter anderem auf dem linken Pregelufer die Feste Friedrichsburg vor die Nase. Als sie erneut huldigen sollten, weigerten sie sich, und wie Gause feststellt »waren sie insofern im Recht, als der Ständestaat vom Landesherrn und den Ständen repräsentiert wurde und Handlungen der einen Partei der Zustimmung der anderen bedurften, um für beide verbindlich zu sein. Aber eben diese Doppelheit wollte ja der Kurfürst beseitigen«. Er kam mit Truppen nach Königsberg, ließ am 30. Oktober 1662 Roth verhaften und sperrte ihn – ohne Prozeß! – lebenslang ein. Gause stellt dazu fest: »Roth blieb ungebeugt bis zu seinem Tode. Lieber nahm er 16 Jahre Haft auf sich, als daß er nur einen Finger breit nachgegeben hätte.« Roth bleibt in der Erinnerung ein aufrechter Charakter im Kampf um die Bürgerrechte, der Kurfürst sein Antipode in absoluter Staatsautorität. Anders als Ernst Wichert beide in dem in unseren

Schultagen viel gelesenen Roman »Der Große Kurfürst in Preußen« darstellte, ist uns Roth heute eine ehrliche, aber tragische, weil unzeitgemäße Gestalt, denn die Geschichte schlug den Weg des Großen Kurfürsten ein.

Aber spiegeln sich nicht solche Charakterzüge auch im Königsberg um 1933 wider, in dem widerrechtlich abgesetzten Oberbürgermeister Lohmeyer, im hingerichteten Bürgermeister Carl Goerdeler und seinem ebenfalls hingerichteten Bruder, dem Stadtkämmerer Fritz Goerdeler, im Stadtrat Raabe, im Magistratsbaurat Schwartz, in Stadtverordneten wie Gottschalk oder Schütz?

Als ich im Jahre 1922 den Schulhof des aus Altstädtischem und Kneiphöfischem Gymnasium zusammengelegten »Stadtgymnasiums Altstadt–Kneiphof« am Dom betrat, kam ich am »Artushof« vorüber. In diesem dem Kaufmännischen Verein gehörenden Gebäude war die »Soziale Frauenschule« untergebracht. Königsberg besaß außerdem am Roßgärter Markt an der Kasernenstraße eine »Mädchengewerbeschule«, die 1930 einen modernen Neubau der Architekten Hopp und Lucas in der Beethovenstraße auf den Hufen erhielt. Fortan hieß sie spöttisch »Klopsakademie« oder auch »Mädchenaquarium«. Der Artushof – er hatte zu unserer Zeit nichts Außergewöhnliches an sich – war ursprünglich ein »Junkerhof«, das heißt eine Versammlungsstätte der Zunft der Großbürger (Kaufherren und Mälzenbräuer) gewesen. Der Altstädtische Junkergarten stand noch bis 1899 an der Stelle meines Gymnasiums. Aus seinen Beständen hatte sich eine wundervoll silbergetriebene Holk (Schiff) erhalten.

Auf meinem Schulhof erhob sich das erst 1865 anstelle des »Neuen Kollegiums« erbaute, aber bereits 1304 begründete Kneiphöfische Gymnasium, das 1904 sein 600jähriges Bestehen feiern konnte. Zu seinen Direktoren zählten bedeutende Pädagogen, so Rudolf Skreczka (1808–1874), Leo Cholevius (1814–1878), Herrmann von Drygalski (1829–1904) und Richard Armstedt (1851–1931), der erste ernsthafte Lokalhistoriker Königsbergs. Als Arthur Mentz (1882–1957) die Leitung des vereinigten Stadtgymnasiums übernahm, wurde damit ein Mann

Direktor, der außerdem noch Stadtverordneter der Deutschen Volkspartei, anerkannter Forscher und Meister der Stenographie war. Das Gymnasium hat übrigens schon 1890 einen literarischen Schülerklub besessen, dem unter anderen Carl Bulcke und Paul Wegener angehört haben.

An jener Front des Domhofs zum Pregel hin, an der sich die 1544 begründete Albertus-Universität befunden hatte, waren in meinen Schülertagen Stadtbibliothek und Stadtarchiv untergebracht. Oft genug habe ich dort Stadtarchivdirektor Christian Krollmann und hernach Fritz Gause gegenübergesessen und mir Hinweis und Rat geholt. Mit großer Dankbarkeit erinnere ich mich meiner Zusammenarbeit mit Gause nach dem letzten Krieg bei der inhaltlichen Ausgestaltung des »Haus Königsberg« in unserer Patenstadt Duisburg. Wie häufig hat Gause in meiner Wohnung zu Gesprächen über Königsberg und die Erhaltung seiner Traditionen geweilt! Wenn ich die drei Bände seiner »Geschichte der Stadt Königsberg« mit ihren 1659 Seiten zur Hand nehmen, lese ich mit Rührung die mir gewidmete Eintragung »Meinem Freunde Matull in Erinnerung an eine lange gemeinsame Königsberg-Kalthöfer Vergangenheit und mit Dank für mannigfache Anregungen«. Die von Gause seit 1938 geleitete Stadtbibliothek mit über 100 000 Bänden sowie das Stadtarchiv – das auf Befehl des Gauleiters Koch nicht ausgelagert werden durfte – sind mit unersetzlichen Werten den Bomben zum Opfer gefallen.

Vom Lesesaal dieser Stadtbibliothek glitt der Blick über den Pregelfluß zum Fischmarkt hinüber und damit zu einer besonders reizvollen, tagsüber von buntem Leben erfüllten Partie. In den Pausen haben wir an der »Stoa Kantiana«, jenem Abschluß des Professorengewölbes gespielt, in dem Kant 1804 als letzter beigesetzt worden ist. Nach seinem Tode am 12. Februar 1804 fand hier am 28. Februar ein riesiger Trauerzug von Professoren und Studenten, Angehörigen ziviler und militärischer Behörden zu Ehren des Weltweisen statt. Die »Stoa Kantiana« begann aber bald zu verfallen und mußte 1880 abgebrochen werden. Aus diesem Anlaß grub man die Gebeine Kants aus, machte von seinem Schädel einen Abguß und setzte alles wieder im Gewölbe bei. Darüber wurde ein doppelgiebliges Bauwerk errichtet, das erneut, aber unzutreffend, »Stoa Kantiana« hieß. Kant zu Ehren wurde 1864 ein Denkmal vor seinem Wohnhaus am Kant-Platz, der ehemaligen Danziger Kellergasse, in der Nähe von Prinzessinstraße und Gesekusplatz errichtet. Kant blickte auf den Kaiser-Wilhelm-Platz. Dieses Denkmal wanderte – nachdem Kants letztes Wohnhaus pietätlos abgerissen worden war – auf den Paradeplatz, wo es nicht die Hauptattraktion bildete, sondern bescheiden abseits vom Denkmal Friedrich Wilhelms III. stand. Seit 1945 ist es verschollen, den Sockel hat man in Maraunenhof, mit einer Büste Thälmanns »dekoriert«, gesehen.

Mitunter führte mein Heimweg über den Pauperhausplatz und damit am Gedenkstein für Julius Rupp vorbei. Seine Enkelin Käthe Kollwitz hat in ihren Lebenserinnerungen auch jenes Wohnhaus »am alten Pauperhausplatz« geschildert, in dem der leidgeprüfte Julius Rupp zuletzt gewohnt hat. Wenn sie von dieser Stadtgegend als einem »gesegneten Boden« spricht, so kennzeichnet sie damit den ganzen Bezirk rings um den Dom, dessen vielfältig fruchtbarer Atmosphäre auch ich teilhaftig geworden bin.

Es ist unfaßbar, daß von diesem Kneiphof nur das Kant-Xenotaph und die Domruine übriggeblieben sind, alles andere ist heute Grünanlage. Kants Mahnung an den gestirnten Himmel und das moralische Gesetz war mißachtet worden und so erstarb hier eine mehr als 700jährige Stadtgeschichte.

Die feinen Hufen

Als ich 1928 nach meiner Heirat auf die Hufen zog (in die
Robertstraße, später zu Ehren des Königsberger Geschichts-
schreibers in Baczkostraße umbenannt) war dieser westliche
Stadtteil bereits in starker Umwandlung begriffen. 1927 war das
Schauspielhaus von der Roßgärter Passage in das bisherige Luisentheater übergesiedelt. Seitdem grüßte über seinem Eingang
– auf Vorschlag des Stadtschulrats Stettiner – das Schillerwort
»Ewig jung ist nur die Phantasie«. Dem Schauspielhaus gegenüber wurde 1930 das Staatsarchiv erbaut, im gleichen Jahr am
Hansaplatz der Nordbahnhof als Gemeinschaftsbahnhof der
Reichsbahn (»Der rasende Litauer« nach Labiau und Tilsit) und
der Ostdeutschen Eisenbahn-Gesellschaft (»Mit den Möwen an
die See mit Samlandbahn und KCE« = Königsberg-Cranzer-Ei-
senbahn) in Betrieb genommen. 1934 beschloß dann der Neubau
des Ostmarkenrundfunks am Beginn des Hansarings die Reihe
der öffentlichen Bauten.
Längst schon hatten wir uns für unsere Wanderfahrten »am
Bullenwinkel« verabredet. Gemeint war jenes der Stadt Königsberg 1912 vom preußischen Ministerium geschenkte »Auerochs-
en-«, in Wirklichkeit Wisentdenkmal, das vor dem Land- und
Amtsgericht seine Aufstellung gefunden hatte und, gestaltet von
der Meisterhand August Gauls, zwei kämpfende Wisente zeigte.
Der Volksmund erzählte, hier seien »Staatsanwalt und Rechtsanwalt« dargestellt, und Charlotte Wüstendörfer steuerte dazu die
Verse bei: »Und so wird zu jeder Frist uns vors Aug’ geführt,
deutlich, daß ein Rindvieh ist, wer da prozessiert.«
Als ich öfter dem Feuilletonchef der »Königsberger Hartungschen Zeitung« und Initiator des »Goethebundes«, Dr. Ludwig
Goldstein (1867–1943), gegenübersaß, führte er mich nicht nur

in den Reichtum des Königsberger kulturellen Lebens durch die persönliche Begegnung mit zahlreichen Autoren ein, er erzählte mir auch von seinem Lieblingsvorhaben, eine Geschichte der Hufen zu verfassen. Nach seinem Tode hat mir seine getreue Mitarbeiterin Meta Zilian eines der beiden existierenden 800seitigen Exemplare seiner »Heimatgebunden« betitelten Lebenserinnerungen »eines alten Königsbergers« geschenkt. Auch hierin ist ein – freilich schon elegischer – Hinweis auf die Absicht einer Darstellung der Hufen enthalten. Sie wurde angesichts der nach 1933 für Dr. Goldstein besonders mißlichen Umstände nicht mehr realisiert.

Die erst nach 1905 in die Stadt Königsberg eingemeindeten Hufen werden um 1400 zum ersten Mal als Königsberger Stadtdorf erwähnt. Weil die Altstadt bei ihrer Gründung nicht so mit Land ausgestattet worden war, wie sich dies vor allem die bei ihrem Ausbau mitwirkenden Lübecker vorgestellt hatten, gab ihnen der Ritterorden reichlich Land pregelabwärts bis Lawsken und auch bis zum Pregelhof, woraus später Ratshof geworden ist. Dann hört man von einem Hufengut Ratshof und drei Dörfern Vorder-, Mittel- und Hinterhufen. Im Laufe der Zeit haben hier viele Mühlen, aber auch Krüge gestanden, später sind auch Friedhöfe als letzte Ruhestätte der Stadtbewohner angelegt worden.

Schon zu Kants Lebzeiten waren diese Hufendörfer als Ausflugsziel beliebt. Im beginnenden 19. Jahrhundert richteten sich begüterte Großkaufleute ihre Sommervillen ein. Interessanterweise sind in Königsberg nach 1812, als die Gleichstellung der jüdischen Mitbürger mit den anderen preußischen Untertanen erfolgte, zahlreiche Juden zum Christentum konvertiert. Dafür sind Namen wie Güterbock, Lewald, Lehr, Magnus, Oppenheim und Rosenhain belegt, die viel für das rasche Aufblühen dieser Hufengegend getan haben.

Mich selbst begann meine Wohngegend auch bald zu interessieren. Zwar habe ich noch miterlebt, daß an den Bahnhöfen Vorder- und Mittelhufen die Schranken die Hufenstraßen zusperrten, wenn das schnaufende Dampfroß vorüberfuhr, und daß zahlreiche altbekannte Lokale und Vergnügungsstätten eingingen. Aber

1930 entstand der Neubau des »Mädchenaquariums« in der Beethovenstraße und an allen Ecken und Enden moderne Wohnblocks.

Bei eingehender Beschäftigung mit der Person und den Ideengehalten Immanuel Kants erfuhr ich, daß vieles über ihn – selbst schon in den frühesten Biographien – nicht frei von Irrtümern war. So soll der nur 1,58 Meter »große« Immanuel Kant zumal als Junggeselle sehr menschenscheu gewesen und nie aus seiner Vaterstadt Königsberg herausgekommen sein. Dabei steht fest, daß Kant – ganz abgesehen davon, daß er in jungen Jahren Hauslehrer in Judschen und Arnsdorf gewesen ist – Freunde auf ihren Gütern besucht, Ausflüge in die Umgebung seiner Vaterstadt, ja bis Pillau gemacht hat. Dabei haben auch die Hufen eine gewichtige Rolle gespielt. Sie entwickelten sich gerade zu Kants Zeiten aus den dörflichen »Huben« zu einer von den wohlhabenden Einwohnern Königsbergs gerne aufgesuchten Gegend, in denen diese sich Sommervillen zulegten. Mit dem Pfarrer an der Tragheimer Kirche, Ehregott Christoph Wasianski (1758–1831), der Kant freundschaftlich betreut und auch geschäftlich beraten hat, ist der Philosoph häufig in pferdebespannter Kutsche »vors Tor« auf die Hufen gefahren. Auch hat er im etwas weiter entlegenen Moditten bei dem Forstmeister Wobeser gerne geweilt und dort sogar Sommerferien gemacht. Dieses Häuschen mit seinen vielen Erinnerungen an Kant hat übrigens noch 1945 unversehrt gestanden. Zu unseren Zeiten pilgerten viele Besucher nach Moditten, um dort »Kopskiekel-Wein« – einen selbstgebrauten Johannisbeerwein mit stark alkoholisierender Wirkung! – zu trinken, wobei sich dann der Heimweg recht schwankend gestaltete.

Professor Gause hat darauf aufmerksam gemacht, daß erst zu Kants Zeiten das Spazierengehen aufgekommen ist. Er sagt: »Ein Gehen ohne Zweck, nur um der Gesundheit willen oder aus Freude an der Natur, war früher unbekannt. Es deutet einen Wandel des Lebensgefühls an, wenn man jetzt begann, aus der Enge der Stadt, in der es öffentliche Parks und Grünanlagen noch nicht gab, in das Freie zu streben, und zwar nicht zu fahren,

sondern zu Fuß. Kant war einer der ersten und wohl der regelmä-
ßigste Spaziergänger in Königsberg. Er ging täglich mit außeror-
dentlicher Pünktlichkeit durch die Stadt nach einer Wiese – später
wurde auf ihr der erste Hauptbahnhof gebaut –, um die sich ein
Weg herumzog. Wahrscheinlich hatte er schon als Kind dort
gespielt. Der Stadtpräsident von Hippel, der viel Sinn für die
Schönheit der Natur hatte, ließ diesen ›Philosophendamm‹ als
Spazierweg herrichten mit Gruppen von Bäumen im englischen
Geschmack.«

Kant hat den Umgang mit Menschen »gebraucht und gesucht«
(Gause). Als Junggeselle nahm er seine Mahlzeiten in Gaststätten
ein, ließ sich gerne zu Gesellschaften einladen und liebte es auch,
Freunde und Bekannte als Gäste in seinem Haus zu sehen. Kant
hat in Königsberg nacheinander sechs Wohnungen gehabt, zuletzt
Prinzessinstraße 3, die aber 1893 abgerissen wurde. Erst 1924
– zweihundert Jahre nach seiner Geburt! – wurde die Straße in
Kantstraße umbenannt.

Waren zu Kants Zeiten auf den Hufen die ersten Sommervillen
der Großkaufleute, aber auch schon »Vergnügungsetablisse-
ments« entstanden, so schossen in der zweiten Hälfte des 19.
Jahrhunderts hier Restaurants und Volksgärten wie Pilze aus dem
Boden. Namen wie Conradshof, Villa Nowa, Hufenpark, Hufen-
terrasse, Ragutzki, Villa Fridericia, Villa Bella, Fortuna, Flora,
Drachenfels und Julchenthal lösten bei unseren Großeltern selige
Erinnerungen aus. An die schöne Königin Luise und ihre Beziehungen zu Königsberg erinnerte die seit 1900 so benannte Lui-
senallee, dann erst recht ihr Lieblingsaufenthalt Luisenwahl, das
1899 sogar Krongut wurde und das Kaiser Wilhelm II. 1914 der
Stadt Königsberg zum Geschenk machte. Schließlich gab es seit
Beginn unseres Jahrhunderts in dem früheren Luisenhöh das
Operettentheater von Martin Klein, der nach seinen Erfolgen
1912 anstelle der Villa Kurowski, Hufenallee 2, das »Luisentheater« erbauen ließ, aus dem über eine »Komische Oper« 1923
dann das »Schauspielhaus« unserer Zeit mit fast 1000 Plätzen
geworden ist.

In diesen Räumen sind – dank der Initiative des »Goethebundes«

– avantgardistisch früh Tolstoi, Shaw, Wedekind und Hauptmann zur Aufführung gelangt. Im »Neuen Schauspielhaus« traten auch früh Schauspieler auf, die später berühmt wurden; genannt seien zum Beispiel Tilla Durieux, Gertrud Eysoldt, Irene Triesch, Heinrich George, Paul Wegener, Alexander Moissi und Lucie Mannheim. Königsberg hatte einen verlockenden Ruf für entwicklungsfähige Kräfte als »Sprungbrett ins Reich«.

Häufig genug bin ich über diese Hufen hinaus nach Ratshof gewandert, um die dort seit 1916 befindliche Kunstakademie zu besuchen und an ihren herrlich-beschwingten Festen teilzunehmen. Als 1900 Ludwig Dettmann (1865–1942) zum Leiter berufen wurde, brachte er in die veraltete Hochschule neuen Schwung, so daß die von Käthe Kollwitz 1886/87 dort empfundene »triste Zeit« bald vorüber war. Künstler wie Olaf Jernburg (1855–1935), Karl Storch (1864–1954), Friedrich Lahrs (1880–1964), vor allem Heinrich Wolff (1875–1940), sodann Stanislaus Cauer oder Richard Pfeiffer verliehen dieser Kunstakademie einen weitreichenden Ruf. Auch so überragende Maler wie Burmann und Partikel haben hier zeitweise gewirkt.

Am erschütterndsten war das Schicksal des mir von den Wandmalereien in der Aula meiner Schule bereits bekannten Malers Ernst Bischoff-Kulm (von dem mir die Malerin Marg Moll viel erzählt hat). Im Ersten Weltkrieg verlor er beide Arme und nahm sich das Leben. Er hatte Nidden auf der Kurischen Nehrung als Malerparadies entdeckt, Pechstein nachgeholt, und später war daraus – unter der Betreuung von Ernst Mollenhauer – ein Jungborn nicht nur für Maler geworden. Als ich einmal mit Mollenhauer vor seinen – jetzt bei mir hängenden – Entwürfen zu Einladungskarten für Akademiefeste stand, meinte er nachdenklich-schmunzelnd: »Ja, ja, das waren noch Zeiten!«

Unter keinen Umständen darf bei einem Gang über die Hufen der Tiergarten vergessen werden. Wie oft nach dem letzten Kriege habe ich in Wuppertal Direktor Müller oder in Duisburg Direktor Thienemann in den jetzt von ihnen geleiteten Zoos gegenübergesessen, und wir haben allesamt vom Königsberger Tiergarten geschwärmt. Ohne Überheblichkeit kann gesagt werden, daß dieser 1896 auf dem Gelände der Hufenschlucht eröffnete zu den schönsten deutschen Tiergärten gehört hat. Er existiert übrigens heute noch. In harmonischer Weise waren hier Tierschau und Gartenpark vereinigt worden, ein Freiluft-Museum kam hinzu, in dem charakteristische Baulichkeiten aus den unterschiedlichsten Landschaften Ostpreußens gezeigt wurden. Im Tiergarten ist übrigens auch im September 1920 die »Ostmesse« durch Reichspräsident Ebert eröffnet worden, die sich dann auf einem besonderen Messegelände neunundzwanzigmal mit jedesmal über 200 000 Besuchern präsentieren konnte. Im Rahmen der von Architekt Hans Hopp erbauten Ausstellungshallen muß noch das »Haus der Technik« erwähnt werden, das an Größe den Moskowitersaal im Schloß übertraf.

Wo man auch auf die Hufen stieß, ob an ihrem Eingang auf die beachtlichen öffentlichen Bauten, ob im sogenannten »Musikerviertel« (Wohnstraßen, die nach Komponisten benannt worden waren), ob in den Partien für die »oberen Zehntausend« oder auch in Straßen für das »einfache Volk«, überall hatten sich diese Hufen in ihrer Aufgelockertheit zu einem der schönsten Stadtteile Königsbergs gestaltet.

Tausend Erinnerungen sind für viele Königsberger mit den Hufen verknüpft. Für mich gründen sie sich auf das 1915 an der Tiergartenschlucht errichtete Hufengymnasium und dort auf Oberstudiendirektor Alfred Postelmann (1880–1945) sowie auf den Kunsterzieher Emil Stumpp. Diesem Postelmann hat der Dichter Ernst Wiechert (1887–1950) in seinen Erinnerungen »Jahre und Zeiten« ein überaus ehrenvolles Gedenken bewahrt, wenn er schreibt: »Postelmann war ein durchaus origineller Mensch, in Gedanken, Anschauungen wie in seiner unbekümmerten Art, sich zu kleiden, und die konservativen Teile der Elterngemeinde blickten mit einem unverhohlenen Mißtrauen auf diesen seltsamen Menschen, der keinen Vollbart trug, sondern der mit Hemd und kurzer Hose bekleidet war und an den nackten Füßen Sandalen trug. Der allen fortschrittlichen Ideen weit aufgeschlossen war und fast alle Gebiete des Wissens auf eine erstaunliche Weise beherrschte . . . Ja, ich muß sagen, daß der endgültige Durchbruch zur Humanität, der mir in diesem Zeitraum gelang, zum größten Teil ihm zu verdanken war, nicht nur seiner geistigen Überlegenheit und Größe, sondern viel mehr noch seinem vorbildlichen Leben und Sein, und ihm danke ich nicht nur die glücklichsten und erfolgreichsten Jahre meines Amtes, sondern einen wesentlichen Teil meiner Existenz, und sein Bild wird von mir immer als eines der reinsten und am tiefsten zu verehrenden in meinem Herzen getragen und bewahrt werden.« Postelmann ist 1945 auf der Flucht in Pillau umgekommen.

Emil Stumpp (1886–1941), den ich schon früh als bedeutenden Porträtisten und Zeichner schätzte, war 1933 in die Emigration nach Schweden gegangen. Unbegreiflicherweise kehrte er bei Kriegsausbruch zurück, ist dann denunziert worden, er habe französischen Kriegsgefangenen Brot zugesteckt, und ist nach seiner Verhaftung im Gefängnislazarett Stuhm verstorben. Heute noch werden von ihm – zum Beispiel in Dortmund – bedeutende Ausstellungen gezeigt. Mir ist gelungen, ein halbes Hundert namhafter Porträts ost- und westpreußischer Persönlichkeiten, die er gezeichnet und von den Dargestellten hat signieren lassen, zu erwerben.

Wo immer man im Laufe der Jahrzehnte auf den Hufen geweilt hat, im Theater oder im Tiergarten, auf dem Walter-Simon-Platz oder in Cafés wie Amende, im Staatsarchiv oder beim Ostmarkenrundfunk, hier waren stets Schwung und Leben. Zum Geschäfts- und Gewerbetreiben der Innenstadt traten hier geistiges Leben und erholsame Anregung als wichtige Komponenten hinzu. Vieles an Wohnungen und Einrichtungen dieser Hufen hat die bösen Zeiten nach 1944 überstanden und existiert heute noch.

In Europas
größter Buchhandlung

Als Schüler schon hatte ich mir die Nase an den Schaufenstern der Buchhandlung Gräfe und Unzer auf dem Paradeplatz plattgedrückt. Zuerst waren es dünne Reclambändchen und die rot eingebundenen »Wiesbadener Volksbücher«, die ich mir für ein paar Dittchen kaufte und mit denen ich den ersten Grundstock zu einer eigenen Bibliothek legte. Dann kamen Schulbücher an die Reihe, mit erwachendem historischem Interesse folgten Serien wie etwa »Das malerische Ostpreußen« oder die »Ostpreußische Landeskunde in Einzeldarstellungen«.

Dieser Paradeplatz oder »Königsgarten« – wie er im Volksmund noch häufig genannt wurde – war ein rechtes Glanzstück für historisch-nachdenkliche Betrachtungen. Hier war schon zu Hochmeister- und dann zu Herzogszeiten ein »Hetz- und Lustgarten« gewesen, unter Friedrich Wilhelm I. wurde daraus ein Exerzierplatz; in unseren Tagen war mit dem großartigen Hintergrund von Universität, Stadttheater und Königshalle daraus jener linden- und kastanienbepflanzte Platz geworden, der bei festlichen Anlässen, aber auch an gewöhnlichen Alltagen zahllose Spaziergänger angelockt hat. Erst den Nazis blieb es vorbehalten, für das angekaufte und als Parteihaus zweckentfremdete Centralhotel auf dem Platz durch Abholzen der südlichen Kastanienallee ein Aufmarschgelände zu schaffen.

Das Reiterdenkmal Friedrich Wilhelms III., etwas versteckt das Standbild Immanuel Kants aus der Meisterhand Christian Rauchs und vor dem Theatergebäude das von Stanislaus Cauer gestaltete Schillerdenkmal waren weitere Zierden des mit Grünanlagen geschmückten Paradeplatzes. Oft genug haben wir Schulaufsätze über diese Denkmäler und ihre zusätzlichen symbolischen Ausschmückungen schreiben müssen. Daß man sie auch auf andere

Weise betrachten konnte, verrät Lovis Corinth in seinen Erinnerungen. Als seine Mutter und er die vier nackten allegorischen Kinderfiguren, die an den Sockelecken des Denkmals Friedrich Wilhelms III. angebracht waren, lange genug beguckt hatten, flüsterte die Mutter Lovis zu: »Kick, Lue, de Jung heft ook son kleen Hoan wie du!«

Königsberg hat früh mehrere namhafte Buchhandlungen gehabt, die schon seit Herzogszeiten geistiges Leben in Gestalt gedruckten Kulturgutes verbreitet haben. Das 16. und 17. Jahrhundert boten in Ostpreußen mit seinem wirtschaftlichen Wohlergehen eine günstige Basis für aufblühendes geistiges Leben, der »Königsberger Dichterkreis« um Simon Dach und Heinrich Albert tat ein übriges dazu. Man bedenke, während im übrigen Vaterland die Schrecken des Dreißigjährigen Krieges wüteten, fand der Dichter Martin Opitz hier eine erholsame Idylle.

Überraschend bleibt – wie Archivdirektor Dr. Kurt Forstreuter in seinem Jubiläumsband »Gräfe und Unzer – zwei Jahrhunderte Königsberger Buchhandel« (1932) festgestellt hat, daß es fast immer in dieser Stadt vier namhafte Buchhandlungen gegeben hat. In unseren Tagen waren dies außer Gräfe und Unzer am Paradeplatz noch Koch und Reimer sowie Bruno Meyer, ferner in der benachbarten Schloßteichstraße die Kunsthandlung Teichert, schließlich in der Französischen Straße die Buchhandlung Beyer, das frühere Antiquariat Raabe. Seitdem Gräfe und Unzer 1873 sein Geschäftshaus am Paradeplatz Nr. 7 bezogen hatte, die Räume bis zur rückseitigen Theaterstraße zu benutzen begann, 1915 das benachbarte Eckgrundstück Paradeplatz 6 hinzukaufte und 1927 nochmals Erweiterungsbauten vornahm, war sein Aufstieg »zur größten und modernsten deutschen Buchhandlung« – ja sogar einzigartig in Europa – in die Wege geleitet. Namen wie Heinrich Eduard Gräfe (1799–1867), Hugo Pollakowsky (1867–1928), Otto Paetsch (1876–1927) bis zu Koch und Prelinger sind beredte Zeugen für eine mehr als 250jährige Verlagsgeschichte.

Otto Dikreiter, von 1928 bis 1938 Mitarbeiter bei Gräfe und Unzer, dann Leiter des von ihm im Verlagsgebäude der früheren

»Ostpreußischen Zeitung« angesiedelten »Kanter-Verlages«, hat mir seine Erinnerungen an das »Haus der Bücher« am Paradeplatz zur Verfügung gestellt, die sich mit dem, was mir von eigenen häufigen Besuchen bei Gräfe und Unzer im Gedächtnis geblieben ist, decken. Otto Dikreiter schrieb mir: »Doppeltüren und Windfang führten in die Räume im Erdgeschoß. Der Eindruck war der, daß man sich nicht in einem Laden befand, sondern in einer geräumigen Bibliothek. Lesetische mit bequemen Stühlen luden zum Verweilen und Durchblättern der neuen Bücher ein, der ›Kunde‹ war, soweit er es wünschte, sich weitgehend selbst überlassen. Buchhändler und Buchhändlerinnen standen zu jeder Zeit und auf Anruf zur Verfügung. An einer Säule prangte das berühmte Jugendbildnis von Kant, gemalt von Becker für den früheren Buchhändler Kanter. An Wänden und Galerien Bücherbrett an Bücherbrett, alles in langen Reihen wohlgeordnet. Die gesamten Regale hatten eine Länge von 4675 Metern, über 250 000 Bücher befanden sich in diesen Regalen, die in allen Räumen des Hauses untergebracht waren. Die Ostpreußenliteratur wurde mit besonderer Vorliebe gepflegt. Ein eigenes ›Ostpreußen-Archiv‹ enthielt alle wichtigen Bücher über Ostpreußen, die den Interessenten zu Studien- und Nachschlagzwecken kostenlos zur Verfügung standen. Ein eigener Raum enthielt Jugendschriften und Kinderbücher. Für die Kinder gab es eine reizende Leseecke mit kleinem Tisch und Stühlchen. Oft brachten Mütter Kinder in diese Ecke, während sie in der Zwischenzeit in der Stadt ihre Einkäufe machten.

Von der großen Halle im Erdgeschoß führten eine Treppe und ein Personenaufzug in die oberen Stockwerke. In einem Zwischenstock waren alle bekannten Sammlungen wie Reclam, Göschen, ›Aus Natur und Geisteswelt‹ und andere untergebracht. Nicht unwichtig waren hier auch die Bücher über Volks- und Laienspiele und in einer reizenden Nische im Ausbau der Treppe gab es eine bequeme Möglichkeit zu sorgfältigem Wählen und Prüfen. Im ersten Stock waren alle Wissenschaften gesammelt. Auch hier wieder an den Wänden schräggestellte Ausstellungsplatten, die über die letzten Neuerscheinungen der einzelnen Wissenschaftsgebiete unterrichteten. Auch hier große Lesetische, an denen man in Ruhe in den Büchern blättern und nachlesen konnte. Ging man den Raum nach rückwärts weiter, kam man in das Antiquariat. Noch etwas weiter, an der Buchhaltung vorbei, kam die größte Kostbarkeit des Hauses, das ›Museum‹. Es enthielt wertvolle Erinnerungen an Kant, Büsten, eine Totenmaske, Erstausgaben seiner Werke und die größte damals existierende Sammlung von Kantbildnissen. Daneben noch viele andere Dinge, die aus der Geschichte der Buchhandlung erhalten geblieben waren. Im zweiten Stock waren eine große neuzeitliche Leihbücherei und ein Lesesaal für Kinder. Ein langer Gang führte zur Geschäftsleitung, zum Österreichischen Konsulat und zum Verlag. (Ein paar Jahre später kamen dann noch das dritte und vierte Stockwerk hinzu.) Aber zurück und gleich in das Untergeschoß des Hauses. Hier war ein besonders wichtiges Gebiet vertreten, die Lehrmittelabteilung. Von hier aus wurden Schulen und Lehranstalten in ganz Ostpreußen und darüber hinaus mit Lehrmitteln und allem, was eine Schule brauchen konnte, versorgt. Schulen wurden völlig neu eingerichtet und ein über 200 Seiten umfassender reich illustrierter Lehrmittelführer gab einen Überblick über die ungewöhnliche Reichhaltigkeit dieser Abteilung.«

Wenn man einmal im Gästebuch von Gräfe und Unzer blätterte, konnte man allein schon aus den dort vertretenen Namen ablesen, welche kulturelle Elite allezeit mit diesem »Haus der Bücher« verbunden gewesen ist. Von der Albertina waren es die Professoren Rothfels, Ziesemer, Götz von Selle, Nadler, Unger, Müller-Blattau und andere, von einheimischen Dichtern Johanna Wolff, Agnes Miegel, Gertrud Papendick, Hermann Sudermann, Arno Holz, Ernst Wiechert, Fritz Kudnig, Martin Borrmann, Walter Scheffler. Bei der Herausgabe von Bänden und Serien halfen Stadtschulrat Prof. Dr. Paul Stettiner, Redakteur Dr. Ludwig Goldstein und von der Kunstakademie Prof. Heinrich Wolff mit. Ihnen allen gesellten sich zahlreiche Besucher »aus dem Reich« hinzu, die zu Lesungen aus ihren Werken hierher kamen, etwa Rudolf G. Binding, Börries Freiherr von Münchhausen, Frank Thiess, Max Halbe, Will Vesper, Manfred Hausmann, Heinrich

Waggerl, Felix Timmermans, Luigi Pirandello, Ricarda Huch, Lulu von Strauß und Torney oder ihre dänische Kollegin Karin Michaelis. Aber auch aus anderen Bereichen weilten als gerne gesehene Gäste hier Professor Wilhelm Filchner, Colin Ross, Graf Luckner oder Günther Plüschow. Sie spiegeln Reichtum und Brillanz des kulturellen Lebens in Königsberg während der vielgeschmähten Jahre der Weimarer Republik wider.

Spät, aber dann um so öfter lenkte Thomas Mann seine Schritte nach Königsberg. Er las 1929 im Oberpräsidium und in der Stadthalle aus »Joseph und seine Brüder«. Anfänglich machte die Familie Mann Ferien in Rauschen, dann entdeckte sie die Schönheit der Kurischen Nehrung und baute sich in Nidden auf dem »Schwiegermutterberg« ein Sommerhaus, das vom Volksmund »Onkel Toms Hütte« getauft wurde. Konsul Koch hat Thomas Mann viele Schönheiten Ostpreußens gezeigt, so daß sich bald ein engeres Verhältnis zum Haus Gräfe und Unzer ergab. Man kann daher verstehen, daß hier von dem Dichter vor und nach Anbruch des sogenannten »tausendjährigen Reiches« folgende sorgenvollen Worte gesprochen worden sind: »Ja, wissen Sie, diese politische Gleichgültigkeit, diese vornehme Teilnahmslosigkeit können wir uns heute alle nicht mehr leisten! Früher ist es mir ja genauso gegangen. Jetzt geht das einfach nicht mehr! Es ist überall eine so scharfe Beleuchtung, daß das mit an uns gesehen wird.«

Die Erinnerungen an diese besondere Seite des Königsberger Geisteslebens – neben Universität, Handelshochschule, Kunstakademie, Bibliotheken, Neuem Schauspielhaus, Oper und Konzertsaal – kann ich nicht abschließen, ohne eine späte Verlagsgründung zu erwähnen, die bisher überhaupt noch nicht zur Darstellung gekommen ist. Ich meine den Kanter-Verlag Otto Dikreiters. Erst 1938 von einem erfahrenen Buchhändler und einer Persönlichkeit von großer Tatkraft in Zusammenarbeit mit dem Leiter der Graphischen Kunstanstalt, Kurt von der Nüll, begründet, kamen dort Bücher wie von Selles »Geschichte der Albertus-Universität zu Königsberg in Preußen« oder die Festschrift zum 60. Geburtstag von Wilhelm Worringer, dann eine Anzahl von Kunstbänden in vieltausendfacher Auflage heraus, wie zum Beispiel Wilhelm Schäfers »Der andere Gulbransson«; Anthologien wie »Das liebste Gedicht«, »Pegasus auf Reisen« oder »Du und Dein Pferd« schlossen sich an. Senatspräsident von Lorck hat mir begeistert von seinen vorbereiteten Buchreihen erzählt, die den Burgen, Schlössern und Herrenhäusern in den verschiedensten Landschaften galten.

Dem allen – sowohl bei Gräfe und Unzer als auch im Kanter-Verlag – hat dann die Zerbombung Königsbergs im August 1944, erst recht das schaurige Ende der Stadt in den ersten vier Monaten 1945 ein totales Aus bereitet. Was hier – auch von den außergewöhnlichen Sammlungen bei Gräfe und Unzer (historische Dokumente, Kant-Reliquien, Dichter-Autographen und zum Teil gedruckte Manuskripte) in Schutt und Asche gesunken ist, zählt zu den unwiederbringlichen Verlusten. Trotz alledem sollte man nicht vergessen, was diese Buchhandlungen und Verlage für das ostpreußische, ja auch deutsche Geistesleben bedeutet haben. Wenigstens konnte Gräfe und Unzer seine jahrhundertealten Verlagstraditionen in München wieder erfolgreich aufnehmen.

Im Theater
und im Konzertsaal

Meine früheste Begegnung mit der Kunstszene hatte ich nicht im traditionellen Milieu des Theaters oder des Konzertsaals, sondern in der Königsberger Stadthalle. Hier trat im Rahmen von gewagten Modernisierungsbestrebungen der in Königsberg engagierte, später so bekannt gewordene Schauspieler Erwin Piscator auf und versuchte sich in der Spielzeit 1919/20 mit wagemutigen Inszenierungen von Strindberg, Wedekind, Kaiser oder Toller. Dann erschien dort eines Tages die Truppe von Haas-Berkow; singend und musizierend zog sie in den Stadthallensaal ein und zelebrierte feierlich ihr »Spiel«. Danach gab es – und das war damals eine unerhörte Neuerung – eine Diskussion mit den Mitwirkenden. Mein Gesprächspartner war ein junger aufgeschlossener Schauspieler – der nachmals berühmte Mathias Wiemann!

Auch in der Schule verspürte man im Musikunterricht die Auswirkung der Reformbestrebungen, die Leo Kestenberg, Musikreferent im Preußischen Kultusministerium, eingeleitet hatte. Wir hatten das Glück, als Musiklehrer stadtbekannte Persönlichkeiten zu haben. In meinem Falle war es Professor Max Brode, ein quicklebendiger, vor Temperament sprudelnder Musikus, der nicht nur Begründer und erster Dirigent der Symphoniekonzerte war, sondern der uns an seinen Choraufführungen im Dom oder in der Neuroßgärter Kirche beteiligte. Nach seinem Tode bekamen wir Ende 1917 in Fritz Gehlhaar einen vielfältig als Chorleiter, Organist und Komponist talentierten Musiker, der mich in der Löbenichtschen Kirche auch in die Geheimnisse der Orgelkunst einführte. Wenn ich bedenke, wie gut die Königsberger Schulen mit Musiklehrern ausgestattet waren – zum Beispiel Hugo Hartung im Hufengymnasium, Paul Firchow im Wilhelmsgymnasium, Leo Fischer im Friedrichskollegium, Konrad Opitz an der Vorstädtischen Oberrealschule, Walter Kühn an der Bessel-Oberrealschule –, dann zeigt das, wie grundsolide hier die aktive Beziehung zur Musik angelegt war.

Die Königsberger Theater haben wiederholt Veränderungen erfahren: das Stadttheater war von zwei Königsberger Kaufleuten, Dumont du Voitel und Meyerowitz, als Oper in eigene Regie übernommen worden, ehe es Oberbürgermeister Lohmeyer 1927 in den Besitz der Stadt überführte. Auch erwarb der rührige Dumont du Voitel 1923 das Luisentheater von James Klein und führte es bis 1925 als »Komische Oper«, ehe es – nach gründlichem Umbau – 1927 Wirkungsstätte des »Neuen Schauspielhauses« wurde. Bis 1925 hatte im Schauspielhaus in der Roßgärter Passage Richard Rosenheim als Intendant gewirkt. Ihm folgte bis 1933 Fritz Jessner, ein Vetter von Leopold Jessner, der in Königsberg seinen Ruhm begründet hatte, ehe er nach Berlin weiterzog. Zu den Lieblingen des Publikums zählten im Schauspielhaus Wolf Beneckendorff, Wolf Langhoff, die Schauspielerfamilie Peppler, Kurt Hoffmann, Rudolf Essek, Albert Lieven, Gerda Müller, Paul Schuch, Franz Pfaudler, Walter Süßenguth, Ernst Stahl-Nachbaur, Paul Levitt, Rudolf Bleß, Claus Clausen, Marga Legal und andere mehr.

Wenn man das Opernhaus am Paradeplatz betrat, wurde man in den Wandelgängen durch eine Gedenktafel daran erinnert, daß Richard Wagner hier 1836/37 als Kapellmeister gewirkt und die Schauspielerin Minna Planer geheiratet hat. Als ich aber den näheren Umständen nachforschte, stellte ich fest, daß Richard Wagner in Königsberg keineswegs glücklich gewesen ist. Alle Hoffnungen, die er auf Dirigententätigkeit und Ehebund gesetzt hatte, erfüllten sich nicht. Er brachte es nur bis zum Hilfskapellmeister, wurde von Schulden gejagt und mußte heimlich nach Riga flüchten. Dennoch haben sich an Wagners Königsberger Aufenthalt manche romantischen Reminiszenzen geknüpft, angeblich soll eine stürmisch verlaufene Segelfahrt auf dem Kurischen Haff im August 1836 Anregungen für den »Fliegenden Holländer« geboten haben, ja, Dr. Erwin Kroll meint (in seiner »Musikstadt Königsberg«), daß ein ostpreußischer Tanz zum

Vorbild für den Matrosentanz in derselben Oper geworden sei. Die Königsberger Oper nahm erst einen beachtlichen Aufschwung, als im Herbst 1928 Dr. Hans Schüler Intendant geworden war. Jetzt waren auch Ur- und Erstaufführungen im Spielplan zu entdecken, wie zum Beispiel Otto Beschs »Arme Ninetta« (1926), Max von Schillings »Mona Lisa« – in der seine Gattin Barbara Kemp gastierte –, Janaceks »Jenufa«, Hindemiths »Cardillac« sowie Bergs »Wozzeck«. 1937 dirigierte Richard Strauß seinen »Rosenkavalier«. Beliebte Mitglieder des Ensembles waren Frieda Leider, Nina Lützow, Lisa Arden, Ilonka von Ferenczy, Josephine Kemp, Else Brée, Orest Rusnak, Kurt Preißler, Paul Schwed, Schmidtke und andere.

Für Konzertaufführungen – Symphonie- und Künstlerkonzerte, Choraufführungen und Einzelgastspiele – standen in der 1912 eingeweihten Stadthalle zwischen Vorderroßgarten und Schloßteich würdige Räume zur Verfügung. Vor allem der große Theodor-Krohne-Saal – Krohne (1846–1925) war fünfzehn Jahre lang ehrenamtlicher Stadtverordnetenvorsteher gewesen und hatte große Verdienste um das kommunale sowie künstlerische Leben Königsbergs – hat sowohl Orchesterkonzerte wie auch solistische Darbietungen gesehen. Häufig fanden auch Solistenkonzerte im danebenliegenden Gebauhr-Saal statt. Königsberg hat das Glück gehabt, in Wilhelm Sieben, Ernst Wendel, Paul Scheinpflug, Rudolf Siegel, Ernst Kunwald und Hermann Scherchen bedeutende Dirigenten in seinen Mauern zu beherbergen. Als Gastdirigenten haben Richard Strauß, Hans Pfitzner, Siegfried Wagner, Wilhelm Furtwängler, Eugen Jochum, Jascha Horenstein und andere gewirkt. Kunwald hat Königsbergs Ruf als Brahmsstadt bestätigt, Scherchen einen kühnen energischen Schritt in die Gegenwart getan. Da Scherchen nicht nur Dirigent der Symphoniekonzerte, sondern auch musikalischer Oberleiter des Ostmarkenrundfunks war – wo er ein neues Orchester aufbaute und mit diesem vielbeachtete Gastspielreisen unternahm –, konnte es, wie Erwin Kroll bemerkt, »nicht ausbleiben, daß die Tätigkeit eines Musikfanatikers, der in seinem unermüdlichen Arbeitseifer weder sich noch andere schonte, in Königsberg alsbald Anstoß erregte, und das um so mehr, als hier im Herbst 1928 auch in der Oper neue Leute erschienen: Dr. Hans Schüler als Intendant und Werner Ladwig als musikalischer Oberleiter«. Obwohl Scherchen nicht mit den besten Gefühlen von Königsberg geschieden ist, hat er sich bald nach dem Krieg bei mir nach dem Schicksal von Königsberger Musikern und Kritikern erkundigt.

Meine Beziehungen zur Musik begannen im Schülerchor, dann beim Musikunterricht im Kühns'schen Konservatorium (meine Lehrer waren Girod, Ansorge, Winkler), – daneben gab es in Königsberg das Fiebach'sche Konservatorium – schließlich mit Freikarten und Stehplätzen im Konzertsaal. Eine Zeitlang schienen meine musikalischen Fähigkeiten so beachtlich zu sein, daß eine hauptberufliche Tätigkeit im Musikleben erwogen wurde. Die Inflation von 1923 machte solche Pläne zunichte. Übriggeblieben ist das Studium der Musikwissenschaft unter Professor Dr. Müller-Blattau und eine Tätigkeit als Musikkritiker von 1923 bis 1933. In diesem Zusammenhang habe ich schon früh an den Proben in Oper und Konzertsaal teilnehmen, Künstler wie Kritiker kennenlernen und dabei naturgemäß ein Lehrkapital sondergleichen ansammeln können.

Königsbergs Ruf als Musikstadt von Bedeutung war bereits um die Mitte des 19. Jahrhunderts begründet worden. Franz Liszt hat hier 1842/43 wiederholt sein blendendes Virtuosentum offenbart und ist auch Ehrendoktor der Albertus-Universität geworden. Man kann sich heute die Stürme der Begeisterung nicht mehr vorstellen, die sein Auftreten auslöste. Kein Wunder, hatte doch der junge Pianist im Taumel der Erregung gleich mehrere Saiten des Flügels zerschlagen und am Schluß seine Handschuhe dem Publikum als Beute hingeworfen. Im Hotel Deutsches Haus wichen die enflammierten Kunstjünger nicht von seiner Seite, schöne Damen miteingeschlossen, so daß man spöttelnd von Liszts Harem sprach. Professoren der philosophischen Fakultät überreichten feierlich das Doktor-Diplom und Studenten setzten Franz Liszt einen mit Alberten verzierten roten Stürmer auf.

Es sei auch daran erinnert, daß Königsberg für Johannes Brahms von großer Bedeutung gewesen ist; 1880 dirigierte er hier seine

2. Symphonie und trat auch als Pianist auf. Freilich räsonnierte der Kritiker Köhler: »Es scheint, als ob er zu früh genial und kein guter Elementarschüler gewesen ist.« Noch bissiger war seine Bemerkung: »Er spielt wie ein Komponist, einen Schritt tiefer, und man spielt wie ein Kapellmeister.« Königsberg war eine typische Brahmsstadt – bis hin zum Generalmusikdirektor Kunwald erklangen die Werke von Brahms in vielen Symphonie- und Künstlerkonzerten.

Königsberg hat auch viel zum Ruhm von Hans Pfitzner getan. Kein Wunder, denn Musikkritiker Erwin Kroll und Professor Dr. Müller-Blattau waren bei Pfitzner in die Lehre gegangen. 1920 hat es in Königsberg bereits eine Pfitzner-Woche gegeben, in den folgenden Jahren wurden – häufig in Anwesenheit des Komponisten – die verschiedensten Werke Hans Pfitzners aufgeführt. Ich erinnere mich besonders an das Chorwerk »Von deutscher Seele«, das Ninke 1924 und 1927 mit großem Aufwand zelebriert hat, aber auch Scherchen hat oft Werke von Pfitzner aufgeführt. Erst 1934 ließ die Begeisterung nach, war Pfitzner doch – wie Erwin Kroll kritisiert – »kein nationalsozialistischer, sondern ›nur‹ ein nationaler Komponist«.

Nicht vergessen werden darf im Rahmen des Königsberger Musiklebens der aus dieser Stadt stammende Komponist Heinz Tiessen. Er wurde schon in die Periode des Expressionismus hineingeboren und hat ihr anfänglich auch Tribut gezollt, später aber – wie Erwin Kroll zutreffend bemerkt – »ein schönes Gleichgewicht zwischen Gehalt und Gestalt« gefunden. Aus Tiessens Schülerkreis ist unter anderem ein so berühmt gewordener Dirigent wie Sergiu Celibidache hervorgegangen.

Unvergessen bleiben die Konzerte in der Stadthalle, besonders mit beliebten und immer gerne gesehenen Künstlern wie Edwin Fischer oder Heinrich Schlusnus. Den Anschluß an das zeitgenössische Schaffen vermittelte Paul Hölzer mit seinem »Bund für neue Tonkunst«. Hier erlebte ich einmal, daß der Pianist Eduard Erdmann so auf die Klaviertasten einschlug, daß gleich mehrere Saiten zersprangen und das Konzert abgebrochen werden mußte. Ein ebenfalls bedeutender, weitaus besonnenerer Klavierkünstler war der ostpreußische Pianist Riebensahm. Gerne denke ich auch an das »Königsberger Streichquartett«, insbesondere mit dem Geiger Hewers und der Bratschistin Hedwig Wieck-Hulisch, die auch emigrieren mußte. Dr. Erwin Kroll ist erst kürzlich neunzigjährig in Berlin gestorben. Sein Buch »Musikstadt Königsberg« hat er mir mit der Widmung überreicht: »Wilhelm Matull, dem Landsmann, ehemaligen Kollegen und verständnisvollen Helfer meiner ostpreußischen Bestrebungen in dankbarer Verbundenheit.«

Der erste Musikkritiker, dem ich nähertreten konnte, war Gustav Dömpke (1851–1923) von der »Hartungschen«. Er hatte sich schon in Wien betätigt und dabei auch Johannes Brahms persönlich kennengelernt. Als er 1887 nach Königsberg kam, trat er mit Vehemenz für diesen Komponisten ein, war allerdings gegenüber Bruckner und Strauß und allem, was nach diesen kam, skeptisch, ja ablehnend. Dennoch hatte sich Dömpke zu einer Art Musikautorität entwickelt, sein Urteil galt – und machte es der Moderne schwer. Mit den Kritikern Dr. Erwin Kroll und Otto Besch begann eine neue Periode im Königsberger Musikleben. Kroll hatte anfänglich Musikkritiken für die »Königsberger Allgemeine Zeitung« geschrieben, während sein Freund Otto Besch von 1918 bis 1922 in gleicher Funktion an der »Königsberger Hartungschen Zeitung« wirkte. 1924 tauschten dann die beiden. In seinen persönlichen Erinnerungen bemerkt Kroll – und dies mit vollem Recht: »1924–1934! – Es war ein Jahrzehnt, wie es die Musikstadt Königsberg, was die Fülle der künstlerischen Ereignisse und das Angebot des Neuen angeht, noch nie erlebt hatte und auch nicht noch einmal erleben sollte. Ich ließ von Anfang an keinen Zweifel darüber aufkommen, daß ich es mit dem musikalischen Heute halten würde und verdarb es sogleich von Anfang an mit den Anhängern meines Vorgängers Dömpke.«

Ein Zufall fügte es, daß Otto Besch (1885–1966) und ich unsere Kritikerplätze im Opernhaus nebeneinander hatten. Dies – und auch meine Besprechungen von Uraufführungen der Kompositionen von Besch – führten zu Kontakten, die im Laufe der Jahre stärker wurden und sich 1945 und danach zu eindrucksvollen

Begegnungen gestaltet haben. Otto Besch, der aus dem Pfarrhaus von Neuhausen-Tiergarten stammte, war ein scheuer, feinsinniger Mensch und schon früh durch eigene Kompositionen aufgefallen. 1920 hatte er in Weimar mit seiner »E. T. A. Hoffmann-Ouvertüre« großen Erfolg gehabt; sie ist inzwischen in fast allen großen Städten gespielt worden. Aus seinem reichen Schaffen seien noch das Streichquartett »Mittsommerlied«, seine Oper »Arme Ninetta« (1926), die »Kurische Suite für Orchester«, zahlreiche Lieder, Kantaten, Motetten, ein »Weihnachts-Mysterium«, Klavier- und Orchesterwerke erwähnt. Von der E. T. A. Hoffmann-Ouvertüre hatte der Komponist von »Hänsel und Gretel«, Engelbert Humperdinck, der Lehrer von Otto Besch, gesagt »Geniales Stück«. Als 1930 die »Adventskantate« unter Scherchen mit großem Erfolg zur Uraufführung gelangte, war Scherchens Urteil: »Das ist ein erschütterndes Seelendrama.«

Als Otto Besch 1923 heiratete und schließlich im eigenen Haus Haarbrückerstraße 26, das der Architekt Hanns Hopp gestaltet hatte, seinen Musenhof fand, hat sich dort nicht nur sein privates Glück entfaltet, sondern ein Kreis von bedeutenden Menschen manche inhaltsvolle Stunde verlebt. Dazu zählten Scherchen (1891–1966) und seine damalige Frau, die Schauspielerin Gerda Müller (später Gattin von Oberbürgermeister Dr. Lohmeyer), der Pianist Rudolf Winkler, von der Kunstakademie die Professoren Bischoff, Cauer, Storch und Wolff, die Berufskollegen Dr. Kroll, Dr. Balzer, Dr. Sarter, Leo Holstein, Lotte Frohwein, die Geiger Peter Esser und Kurt Wieck, die Geschwister Milthaler, der Dirigent Nettstraeter, die Schriftstellerin Gertrud Papendick und Paul Hölzer vom »Bund für neue Tonkunst«. Frau Erika Besch schrieb mir von jenen glücklichen Tagen: »Wenn Werke meines Mannes zur Uraufführung kamen, war das immer ein Ereignis für Königsberg und wurde anschließend mit den Künstlern im Freundeskreis gefeiert. Es ging oft sehr lustig bei uns zu.«

Von meinen Universitätslehrern (besonders eindrücklich auch in München der Historiker Hermann Oncken, der aus Königsberg stammende Literaturhistoriker Fritz Strich und der Pädagoge Kerschensteiner) ist in Königsberg Professor Dr. Joseph Müller-

Blattau von besonderem Einfluß gewesen. Als er 1922 als Privatdozent an die Albertina berufen wurde, trat uns ein junger Wissenschaftler gegenüber, der mit siebenundzwanzig Jahren nur wenig älter war als wir Studiosi. Müller-Blattau schlug mit Entschlossenheit und Schwung überhaupt erst das Kapitel Musikwissenschaft in Ostpreußen auf. Vom »Collegium musicum« über das 1924 gegründete »Institut für Kirchen- und Schulmusik« bis zu den »Königsberger Studien zur Musikwissenschaft« und zur »Musikgeschichte von Ost- und Westpreußen« zieht sich ein reicher Schaffenskranz hin. Wie oft habe ich bei diesem liebenswürdigen Menschen in seinem Königsberger Heim, nach Kriegsende auch in Saarbrücken, weilen dürfen! Als ich ihn bat, für ein Heft »10 Jahre Patenschaft Duisburg-Königsberg 1962« etwas über seine »Reichen Jahre musikalischer Arbeit« zu schreiben, schloß er den Beitrag mit bewegenden Sätzen: »Ja, viel Treue und Freundschaft haben wir in den 13 Königsberger Jahren erleben dürfen! Und ich selbst habe dort etwas ganz Entscheidendes erfahren: Meine eigentliche Prägung als Forscher und Lehrer verdanke ich Königsberg, die menschliche Weite und den Blick über die Grenzen hinaus verdanke ich Ostpreußen.«

Von manchen ergreifenden, mitunter erschütternden Theateraufführungen im »Neuen Schauspielhaus« – das für junge Künstler »Sprungbrett ins Reich« war – müßte ich berichten, erst recht von meinen Begegnungen mit dem Rundfunk, wo ich mich mit Einführungen zu Konzerten, aber auch Zuführungen zu historischen Gedenktagen und Ansprachen zu dem glanzlos gebliebenen »Verfassungstag« am 11. August betätigte. Als 1924 der Ostmarkenrundfunk (Orag) im Messegelände eingerichtet wurde, hatte ich es zunächst mit dem völkisch angehauchten »Major« Fritz Beyse zu tun, viel lieber mit Kurt Lesing und Kapellmeister Hrubetz. Auch konnte ich die Arbeitersängervereine (»Typographia« unter Erwin Feustel und »Arbeiter-Mandolinistenbund« unter Bruno Rückert und Louis Prandl) dem Ostmarkenrundfunk zuführen. Seine Anfänge waren mehr als primitiv: der Sender stand auf den Pregelwiesen, erste Proberäume befanden sich im Stadttheater. 1925 übernahm die Stadt Königsberg – übrigens als einzige deutsche Stadt – den Rundfunk, errichtete einen Sender an der Pillauer Landstraße und verlegte Verwaltung und Betrieb in die Ostmesse. Daraus ist schließlich der Ostmarkenrundfunk mit seinem Großsender in Heilsberg geworden.

Wo man auch dem kulturellen Leben begegnete, ob im Theater oder im Konzertsaal, in der Universität oder im Vortragswesen, selbst bei distanzierter Stellungnahme kann man mit gutem Gewissen Königsberg eine achtbare Position im deutschen Geistesschaffen zuerkennen. Viele Persönlichkeiten waren daran beteiligt; von Stadtschulrat Professor Dr. Paul Stettiner war schon die Rede, Dr. Ludwig Goldstein vom »Goethebund« – der nahezu alle namhaften deutschen Dichter zu Lesungen aus ihren Werken nach Königsberg geholt hat – wurde auch bereits erwähnt. Allen diesen Männern gebührt tiefer Dank – sie haben unter den Nazis üble Verfolgungen erfahren, auch Müller-Blattau ist weggegrault worden – denn wir Mitlebenden jener Jahre haben von ihnen allen viel profitiert.

Unsere jüdischen Mitbürger

Zur Situation der jüdischen Mitbürger Königsbergs hat Professor Gause festgestellt: »Die Juden spielten in Königsberg keine größere Rolle als in allen anderen deutschen Großstädten. Es gab tüchtige und einflußreiche jüdische Kaufleute, Anwälte, Ärzte, Journalisten, im literarischen und künstlerischen Leben der Bürgerschaft, besonders in Theater- und Musikkultur, wirkten sie anregend und fördernd. Die Zahl der Glaubensjuden war in den Jahren vor 1933 bereits zurückgegangen, da manche das Unheil kommen sahen, das sich gegen sie zusammenbraute . . . 1933 hatte es 3500 Glaubensjuden in Königsberg gegeben. Im Mai 1939 waren es noch 1585. Da nach diesem Zeitpunkt wohl keinem Juden mehr die Emigration geglückt ist und auch niemand von diesen den Krieg überlebt hat, sind sie wohl alle ein Opfer der verbrecherischen ›Endlösung‹ geworden.«

Alteingesessene Königsberger Juden haben wesentlich zum Ausbau und Ansehen ihrer Vaterstadt beigetragen. Ein herausragendes Exempel dafür, das man täglich vor Augen hatte, war der Walter-Simon-Platz benannte Schulsportplatz von 6,8 Hektar auf den Mittelhufen, ein großherziges Geschenk des Geheimrats Professor Dr. Walter Simon (1857–1920), dessen Vater schon der Stadt mehr als eine halbe Million vermacht hatte. Er hat außerdem noch – wie viele andere jüdische Mitbürger auch – erhebliche Beträge für Wohlfahrtseinrichtungen, Schwimmanstalten am Oberteich, ja auch zum Bau der Luisenkirche beigesteuert. Mit Recht wurde er 1908 Ehrenbürger seiner Vaterstadt.

Unter den zahlreichen jüdischen Ärzten seien besonders Gottschalk, Kiewe, Levy, Meyer und die Brüder Stern genannt. Das Musikleben förderten unter anderen Dr. Siegfried Stern von der Königstraße und der Apotheker Nissel von der »Krummen

Grube«. Führende Köpfe der jüdischen Gemeinde waren Oberkantor Eduard Birnbaum (Vater des in München an der »Süddeutschen Zeitung« wirkenden Immanuel Birnbaum und des 1941 von der Gestapo ermordeten Gerhard Birnbaum), dann das letzte Oberhaupt der jüdischen Gemeinde, der ehrwürdige Mediziner, Universitätsprofessor Geheimrat Hugo Falkenheim. Als bedeutende Rabbiner galten Lewin und Vogelstein. Bemerkenswert als Stadtverordnetenvorsteher (aber auch als Großkaufmann) war Max Arendt (1843–1913), Vater der bekannten Publizistin Hannah Arendt.

Im wirtschaftlichen Leben spielten die Friedländer, Hirsch, Jakoby, Ladendorff, Levi, Meyer, Oppenheim, Ratzkowski, Salomon, Simson, Warschauer und andere eine erhebliche Rolle. Im Februar 1938 wurden in Königsberg 201 jüdische Firmen, ferner 38 jüdische Ärzte und 23 Rechtsanwälte eruiert. In der sogenannten »Reichskristallnacht« hat man 450 jüdische Mitbürger in Polizeihaft genommen, die alte Synagoge in der Synagogengasse, die neue, 1894/96 errichtete, imposante Synagoge an der Lindenstraße und zwei Beträume in der Schnürlingstraße und in der Vorstädtischen Langgasse sowie die beiden jüdischen Friedhöfe geschändet oder zerstört.

Im politischen Leben nicht nur Königsbergs spielten Dr. Johann Jacoby (1805–1877), Eduard von Simson (1810–1899, Sohn eines jüdischen Maklers, als Schüler zum Christentum konvertiert, Präsident der Frankfurter Nationalversammlung, des deutschen Reichstags und des Reichsgerichts, später geadelt), Alfred Gottschalk (1862–1942), Hugo Haase (1863–1919), Rechtsanwalt Lichtenstein und die Gattin des Musikalienhändlers Harpf, Martha Harpf (1942 in Theresienstadt umgekommen) eine nennenswerte Rolle. Viel Ansehen genossen auch Sanitätsrat Pollnow, Konsul Minkowski, Professor Jaffa (der nach 1933 den Freitod suchte) und Rechtsanwalt Ehrlich. Von Schriftstellern seien Heinrich Spiero (1876–1947) und Walther Heymann (1882, gefallen 1915), genannt.

Von Professor Stettiner und den Redakteuren Dr. Goldstein, Dr. Leo und Auspitzer war schon in anderem Zusammenhang rühmend die Rede. Groß war auch das Interesse jüdischer Mitbürger an der Förderung des Theater- und Konzertlebens. Schließlich war mein Musiklehrer Professor Brode der Begründer und erste Dirigent der Symphoniekonzerte; im Konservatorium Kühns habe ich solide Grundlagen zu meiner musikalischen Ausbildung legen können.

An eine Persönlichkeit mit großen Verdiensten um das Sportleben, der dessenungeachtet übel mitgespielt worden ist, erinnert sich Redakteur Dr. Max Meyer: es handelt sich um Hans Weinberg, Offizier im Ersten Weltkrieg, mit dem EK I ausgezeichnet, schwerkriegsbeschädigt. Nach dem Kriege gründete er die angesehenen Vereine VfK (»Verein für Körperübungen«) und VfB (»Verein für Bewegungsspiele«), wurde dann Leiter der Landessportschule in Metgethen. Dieser echt national empfindende Mann ist nach 1933 elend drangsaliert worden und in Königsberg ums Leben gekommen.

Wie vielfältig sich das Leben unserer jüdischen Mitbürger in Königsberg gestaltete, hat Max Fürst in seinem schönen Buch »Gefilte Fisch. Eine Jugend in Königsberg« (1975) aufgezeichnet. In ihm widmet er zu Recht ein besonderes Kapitel Hans Litten, der unter den Nazis ein schreckliches Ende gefunden hat. Max Fürst erwähnt als durchaus bezeichnend für das Niveau vieler jüdischen Familien Königsbergs: »Kunst war im Hause Litten eine verpflichtende Beschäftigung. Man unterhielt sich über die Medicis und die anderen Herren der Renaissance so, als ob sie gestern noch gelebt hätten.« Hans Litten, vielseitig begabt und künstlerisch qualifiziert, ist nach 1933 von KZ zu KZ geschleppt worden, ehe er 1938 in Dachau den Tod fand. Trotz allem, was man unseren jüdischen Mitbürgern in Königsberg Furchtbares angetan hat, bleibt in der Erinnerung an ihren Einfluß und ihre Leistungen dennoch bestehen, was Professor Gause festgestellt hat: »Solche Vielfalt religiösen und geistigen Lebens konnte sich nur in einer Stadt entfalten, die frei war von Intoleranz und geistiger Enge.«

Jahre nach dem Zweiten Weltkrieg ließen sich erfreulicherweise wieder Kontakte zu früheren jüdischen Mitbürgern anknüpfen.

Aus London meldete sich der Klassenkamerad Lachmannski, einst mit seinem Seidenhaus in der Junkerstraße beheimatet. Aus Jerusalem schrieb der schriftstellerisch begabte H. A. Sturmann, und eines Tages empfingen wir überlebenden Schulkameraden auf dem Düsseldorfer Hauptbahnhof unseren Mitschüler Leo Silberberg, einst Königsberg-Ponarth, jetzt Los Angeles/USA. Nach vierzig Jahren Trennung sprach er ein breiteres Ostpreußisch als wir anderen zusammen! Geradezu rührend ist es, wie viele von denen, die so Bitteres erlebt haben, dennoch Beziehungen zu manchen deutschen Mitbürgern aus Königsberg wieder aufgenommen haben!

Wirtschaftliche Basis und Aufstieg

Entscheidende Voraussetzung für jeden Aufstieg Königsbergs war seine wirtschaftliche Grundlage. Sie war gesund, denn 1914 standen den 65 Millionen Mark Verpflichtungen Vermögenswerte von 88 Millionen Mark gegenüber. Freilich brachte dann das Versailler Friedensdiktat 1919 vorher nicht voraussehbare ungewöhnliche Veränderungen. Vom übrigen Reichsgebiet durch den »polnischen Korridor« abgeschnitten, vom bedeutenden Handelspartner Rußland durch die Existenz der baltischen Staaten und auch Polens getrennt, zunächst auch wegen der unübersichtlichen Verhältnisse in der UdSSR im unklaren über mögliche Kooperation, in gewissem Maße in Konkurrenz zu den Häfen Danzig und Memel, die nicht mehr zum Deutschen Reich gehörten, sah sich Königsberg vor eine gründlich veränderte Situation gestellt. Nicht nur waren gewohnte lukrative Handelsverbindungen abgerissen, auch die neuen staatspolitischen, ökonomischen und sozialen Verpflichtungen im eigenen Staatsverband und schließlich die rapide zunehmende Geldentwertung stellten schwierige Aufgaben.

Rückschauend muß man voll Respekt, ja mit Bewunderung sagen, daß Königsberg die neuartigen Verhältnisse in erstaunlicher Weise gemeistert hat und im Vergleich zu vielen anderen deutschen Großstädten besser abschnitt, als man das erwarten konnte. Nicht zuletzt war das die Leistung von Oberbürgermeister Dr. Lohmeyer, von Bürgermeister Goerdeler und Mitarbeitern wie Stadtkämmerer Lehmann und den Stadträten Borowski, Hoffmann, Jankowski, Raabe, Schäfer und Stettiner. Während Lohmeyer tatkräftige Impulse setzte, organisierte Goerdeler die Stadtverwaltung und straffte die Stadtämter. Als 1927 der bisherige Handelshof am Hansaring als Stadthaus die meisten städtischen Ämter aufnehmen konnte, war eine glückliche Konzentration der Verwaltung geschaffen worden. Die Stadt beschäftigte damals insgesamt fast 4000 Beamte, Arbeiter und Angestellte. Lohmeyer hat selbst (in der Festschrift »10 Jahre Patenschaft Duisburg–Königsberg«, 1962) Königsbergs kommunalpolitische Leistungen zwischen 1919 und 1933 aufgeführt, eine Zeit, in der die Einwohnerzahl um 100 000 zugenommen hatte. Dazu zählt er den erheblichen Hafenausbau und die Neuorganisation der Eisenbahnanlagen (Hauptbahnhof und Nordbahnhof) in Zusammenarbeit von Reich und Preußen, die Gründung der Messe, umfangreiche Errichtung von Wohnbauten und Schulen, maßgebliche Einflußnahme auf Theaterwesen und Rundfunk. Königsberg hat daher den Währungsschwund nach 1919 und die hochgehende Inflation von 1923 verhältnismäßig gut überstanden. Vielleicht ist es bezeichnend, daß Lohmeyer wiederholt ehrenvolle Angebote nach auswärts erhielt, Goerdeler 1930 Oberbürgermeister von Leipzig wurde, Raabe Oberbürgermeister in Hagen, Schröder Oberbürgermeister in Schneidemühl und Ziebell nach 1945 Oberbürgermeister in Nürnberg. Solche Erfolge wären ohne verständnisvolle Mitarbeit der Bürgerschaft in Gestalt der Stadtverordnetenversammlung nicht möglich gewesen; aus den verschiedensten Fraktionen seien daher Caillé, Mentz, Schwartz, Blumenthal, Schäfer, Gottschalk, Legatis und die Frauen Migge, Nippe, Hartung und Harpf anerkennend genannt.

In diesen Nachkriegsjahren hatte Königsbergs Wirtschaft einen außerordentlichen Glücksfall zu verzeichnen: Hugo Stinnes begründete 1921 sein Odinwerk, eine der größten Maschinenfabriken und Gießereien, 1922 seine Kohlen-Import AG nebst Reedereien, dann die Zellstoffabriken der Koholyt AG, ferner die Ostpreußische Maschinengesellschaft – kurzum einen immensen wirtschaftlichen Bereich. Gause stellt fest: »Alles in allem hat Stinnes der Königsberger Wirtschaft über eine schwere Zeit hinweggeholfen, und wenn sein Imperium nach seinem Tode auch ebenso rasch zusammenfiel, wie es aufgebaut worden war, so hat doch der Name Stinnes in Königsberg seinen guten Klang behalten.«

Entscheidende Voraussetzung für jeden Aufstieg Königsbergs war die wirtschaftliche Grundlage. So war zum Beispiel 1930 der Königsberger Hafen der modernste im Ostseeraum.

Ein buntes Bild bot sich, wenn mitten in der Stadt die Kähne anlegten und den Reichtum des ostpreußischen Landes entluden: landwirtschaftliche Erzeugnisse, Schnittholz und vieles mehr.

Von den vorhandenen Wirtschaftsunternehmen gerieten leider manche in bedenkliche Schwierigkeiten. Die Waggonfabrik Steinfurt, die bis 1920 an die 25 000 Eisenbahnwaggons hergestellt hatte, mußte in eine AG umgewandelt werden. Ihre neuen Direktoren wurden Fritz Heumann und Fritz Radok (dessen Schwestern den Musikkritiker Dr. Kroll und den Maler Arved Seitz heirateten). Andererseits gab es auch Neugründungen; die Reederei Ivers und Arlt nahm mit fünf eigenen (darunter dem Dampfer »Königsberg«) und zehn Charterschiffen einen Seeverkehr auf; die Spedition Meyhöfer richtete ein Reisebüro ein und vertrat fortan die »Hapag«. Ostpreußische Brauereien konzentrierten sich in einem Stettiner Konzern, der Karstadt-Konzern erwarb das Kaufhaus Nathan Sternfeld am Altstädtischen Markt, neue Baufirmen entstanden und auch der Hafen- und Seeverkehr wurde belebt. Allerdings konnte in der Ausfuhr nicht mehr die Höhe des Umsatzes vor 1914 erreicht werden. Die Union-Werft brach zusammen und erst, als Woldemar Rodin 1936 den von der Elbinger Schichau-Werft durchgehaltenen Betrieb übernahm, blühte sie wieder auf; aus 180 Beschäftigten wurden im Höhepunkt ihres Wirkens 19 000. Mehrere Jahre hindurch habe ich mit dem hochbegabten Rodin bezüglich der Menschenführung zusammengearbeitet.

Vor dem Hintergrund dieser wirtschaftlichen Dinge wäre noch eine kleine Pikanterie zu erwähnen: Hatte es zwischen 1894 und 1900 in Königsberg die private »Hansapost« gegeben, die im Jahre 1899 über 2½ Millionen Briefsachen mit eigener Frankierung befördert hatte – die Reichspost löste diese Einrichtung mit etwas über 100 000 Mark im Jahre 1900 ab –, so sah sich die Stadt Königsberg gezwungen, angesichts der Geldentwertung nach 1919 eigene Geldscheine herauszugeben. 1922 gab es einen schön bebilderten 100-Markschein, der auf der Rückseite das Bild Kants zeigte, 1923 waren es bereits Millionen- und Milliardenwerte. Dies taten übrigens auch der Provinzialverband Ostpreußen, der Giroverband für Ost- und Westpreußen, die Regierungs-Hauptkasse Königsberg und die Reichsbahndirektion bereits ab 1917. Königsberger Schüler waren in dieser Zeit auf den

Einfall gekommen, eine eigene »Königsberger Schülerpost« mit 287 verschiedenen Marken herauszubringen. Als das Unternehmen gewinnbringenden Umfang annahm, ließ es die Oberpostdirektion auffliegen, und die Eltern der Schüler hatten große Mühe, die Angelegenheit halbwegs gütlich beizulegen.

Wie mir Professor Dr. Gause versichert hat, bin ich wohl der einzige Besitzer aller dieser drei Sammlungsarten. Wenn ich etwa meine Hansapostkarten betrachte, finde ich darunter solche an »Herrn Privatdozent Dr. Hugo Falkenheim« oder an »Herrn Professor Bezzenberger« adressiert. Eine rührende Erinnerung ist auch eine Karte »Gruß Café Bauer« oder die »Abschieds-Karte der Privat-Post Hansa« vom 31. März 1900. Ich weiß nicht, ob ich es ganz für bare Münze nehmen darf, daß mir Oberbürgermeister Dr. Lohmeyer mal erzählt hat, mit solchem Notgeld habe er die Motorisierung der Königsberger Feuerwehr bezahlt.

Niedergang und Inflation haben die Königsberger Wirtschaft und zugleich damit auch die Stadtverwaltung schwer getroffen, vor allem gingen erhebliche Vermögenswerte, zum Beispiel in Gestalt von Stiftungen und Legaten, völlig verloren. Dennoch waren die Schuldenverpflichtungen 1927 auf 25 Millionen Mark abgesunken, da die Stadtverwaltung klugerweise keine Bindungen mit einer Goldmarkklausel eingegangen war. Dank vorsichtiger Wirtschaft war man letzten Endes noch mit einem blauen Auge davongekommen und hoffte nach 1928 wieder auf einen Aufstieg. So war denn 1930 der Königsberger Hafen nach Neu- und Erweiterungsbauten mit über 100 000 Quadratmetern Schuppen- und Speicherräumen und dreißig Kränen der modernste im Ostseeraum. Auch war es gelungen, den Handel mit der UdSSR durch Errichtung einer besonderen Handelsvertretung weitgehend über Königsberg laufen zu lassen, wozu natürlich die Ostmesse – die einzige anerkannte neben Leipzig – wesentliche Vorarbeit, unter anderem auch mit ihrer Zeitschrift »Osteuropa-Markt«, unter den Messedirektoren Wiegand und Jonas geleistet hat. Königsberg hoffte, aus dem Gröbsten heraus zu sein, da trafen neue schwere Schicksalsschläge in Gestalt von Weltwirtschaftskrise und Massenarbeitslosigkeit auf die Stadt; 1931 gab es

142, im Jahre 1932 weitere 96 Konkurse. Der städtische Etat wurde durch erhöhte Ausgaben für die Wohlfahrtspflege überaus stark beansprucht, aus 750 Wohlfahrtserwerbslosen im Jahre 1928 waren 13 000 im Jahre 1932 geworden. Darüberhinaus war fast ein Drittel der Gesamteinwohnerschaft auf Hilfe und Unterstützung angewiesen. 1932 geriet Königsberg in solche Geldschwierigkeiten, daß es mit der Abführung der Staatssteuern im Rückstand bleiben mußte. Eine fast aussichtslose Situation drohte zudem mit 87 Millionen Mark Schulden.

Reichtum
des religiösen Lebens

Basis für die Gestaltung des religiösen Lebens in Königsberg war die konfessionelle Gliederung. Sie sah 1925 so aus: 249 538 Evangelische (91,72 %), 13 230 Katholiken (4,84 %), 5889 Sekten (2,3 %), 4049 Juden (1,45 %), 1019 Evangelische Freikirchen (0,41 %). Darüber hinaus gab es überraschenderweise 605 Anhänger des griechisch-katholischen Bekenntnisses, 118 Altkatholiken und natürlich Glaubenslose. Deren Zahl hat sich nach 1933 stark vermehrt. Hingegen war die Anzahl der Glaubensjuden schon 1933 auf 3500 abgesunken und hatte 1939 den Tiefpunkt von 1585 erreicht.

Als sich an der Wende vom Mittelalter zur Neuzeit viele alte Ordnungen auflösten, wurde in Ostpreußen aus dem Ordensstaat das weltliche Herzogtum Albrechts. Zugleich hielt auch in Königsberg die Reformation den Einzug und spielte fortan eine bevorzugte Rolle. Königsberg galt zeitweise als ein »Wittenberg des Ostens«. Luthers Sohn Hans hat nach seinem Tode in der Altstädtischen Kirche auf dem Kaiser-Wilhelm-Platz seine letzte Ruhestätte erhalten und 1859 dort einen Gedenkstein, als die Altstädtische Kirche wegen Baufälligkeit abgerissen werden mußte. Glaubensflüchtlinge aus Holland und Frankreich, später viele Salzburger, haben hier eine neue Heimat gefunden. Engländer, insbesondere Schotten, blieben in Königsberg und spielten nicht nur im Handel eine größere Rolle.

Im Laufe der Jahre habe ich eine Reihe von Kirchen in Königsberg kennengelernt. Im Dom bin ich vom Geheimrat Quandt konfirmiert worden und habe unter der Stabführung Professor Brodes bei mancher Chaoraufführung mitwirken können. Bei einem Orgelkonzert erlebte ich, wie Domorganist Eschenbach an seinem Instrument einen jähen Musikertod starb. Dann habe ich unter Assistenz unseres Musiklehrers Gehlhaar wiederholt auf der Orgelbank der Löbenichtschen Kirche gesessen. Diese 1334–1352 als »St. Barbara auf dem Berge« errichtete Kirche trug bis zum Feuersturm 1944 jenen charakteristischen Kirchturm, wie ihn ursprünglich auch der Turm des Schlosses (bis 1864) getragen hat. Pfarrer Hugo Linck hat als letzter Geistlicher des Löbenichts noch unter den Russen tapfer ausgehalten. Oft habe ich dann als junger Kritiker vielen von Pfarrer Rohde initiierten geistlichen Konzertveranstaltungen in der Neuroßgärter Kirche beigewohnt. Außer einem interessanten Deckengemälde, das man »ein ganzes Bibelbilderbuch« nannte, bewahrte diese schöne, 1644–1647 errichtete Kirche Erinnerungen an den einzigen evangelischen Bischof Ludwig Ernst von Borowski (1740–1831), der eine Biographie Kants geschrieben hat.

Eines der idyllischsten Plätzchen Königsbergs war zwischen Roßgärter Markt und Münzplatz der Burgkirchenplatz. Nachdem man unter einem Torbogen mit den darüber thronenden Statuetten der Gerechtigkeit, Barmherzigkeit und Liebe durchgeschritten war, hatte man die 1690–1696 errichtete Burgkirche vor sich. Sie war der Nieuwe Kerk in Den Haag nachgebaut und 1701 in Gegenwart König Friedrichs I. geweiht worden. Als Gotteshaus des deutsch-reformierten Bekenntnisses war sie in ihrem Innern ohne Schmuck, aber ihre edlen Maße und ihre altertümlich wirkende Umgebung machten sie zu einer Stätte der besinnlichen Einkehr. Häufig bin ich hier als Pennäler gewesen, um in der dicht dabei befindlichen sogenannten »Brockensammlung« – einer Sammlungsstätte für Bücher, die man bei Umzügen loswerden wollte – nach Schmökern, Schwarten und Pliten zu stöbern, die um so wertvoller waren, je mehr Eintragungen und Übersetzungen ihrer Vorbesitzer sie enthielten. In dieser Stadtgegend hat der in der Nähe, nämlich in der Französischen Straße 25, geborene Dichter Ernst Theodor (Wilhelm) Amadeus Hoffmann (1776–1833) geweilt. Hier hatte auch im Ausgang des 19. Jahrhunderts der »Richter und Dichter« Ernst Wichert (1831–1902) sein Domizil, und auch der reformfreudige Regisseur Leopold Jessner (1878–1945) hat hier ein paar Jahre verbracht.

Eine etwas merkwürdige Kirche war der Neubau der Altstädtischen Kirche von 1845 nach Plänen Schinkels in der Junkerstraße, nachdem die ursprünglich auf dem Kaiser-Wilhelm-Platz stehende 1826/28 abgerissen worden war. Leider war der für diesen Neubau zur Verfügung stehende Raum so schmal geraten, daß das Bauwerk nie zur rechten Geltung kam. Dicht dabei, schon auf dem Steindamm, erhob sich ein kleines Kirchlein, die Steindammer Kirche, die im Volksmund immer noch den Namen »Polnische Kirche« führte. Sie wird bereits 1256 erwähnt, 1526 wurde sie den um ihres Glaubens willen vertriebenen Polen und Litauern als Gotteshaus zugewiesen, 1812 hat man sie als Gefängnis für französische »Marodeure und Verbrecher« mißbraucht; sie hatte die Bombenangriffe von 1944 heil überstanden, ist dann aber 1945 gesprengt worden.

Von welchen Kirchen soll ich noch erzählen, die ich aus eigenem Augenschein gekannt habe? Da war die Sackheimer Kirche, 1648 am Ende des Dreißigjährigen Krieges geweiht, 1764 total abgebrannt, 1769 im Rokokostil neu geweiht. Auch die Haberberger Kirche hat ein wechselvolles Schicksal gehabt. 1652 als selbständige Kirchengemeinde vom Dom gelöst, erhielt sie bald darauf ihre eigene Gestalt, 1747 brannte sie bis auf den Grund nieder. Daraufhin erhielt sie beim Neuaufbau auf Vorschlag Kants als erste Kirche Königsbergs einen Blitzableiter. 1807 diente diese Kirche als russisches Lazarett. Ihre Innenausstattung in spielerischem Rokoko und hellen Farben machte sie zu einer der schönsten Ostpreußens. Ein kleiner Spaß war mit der Altroßgärter Kirche verbunden. An ihrem zweiten östlichen Fenster fielen drei auffällig eingemauerte Ziegel auf, sie sollen angeblich trotz genauester Beachtung des Finanzierungsvoranschlags übrig geblieben sein. Ein hübsches Bauwerk war die Juditter Kirche, die 1286 erbaut, die älteste des Samlands war. Ein zierlicher Rokokobau war in der Königstraße die 1733–1736 für die französischen Refugiés errichtete Französisch-Reformierte Kirche, in der an jedem 4. Sonntag noch französisch gepredigt wurde. Das Prachtstück aller Königsberger Kirchen, die Schloßkirche, habe ich bereits gesondert erwähnt. Als 1925 die Kreuzkirchengemeinde auf der Lomse von der Altstadt abgetrennt wurde, erbaute sich diese 1930–1933 als eigenes Gotteshaus die Kreuzkirche auf der Plantage. Sie war ein eigenwilliger Bau, der von der traditionellen Kirchengestaltung abwich. Auch die von der Luisengemeinde abgetrennte Ratshöfer Kirche entstand 1937 als letzter Königsberger Kirchenbau.

Die Katholiken hatten in Königsberg fünf Gemeinden: die Propsteigemeinde, St. Adalbert auf den Hufen, Heilige Familie auf dem Haberberg, St. Joseph in Ponarth und Liebfrauen am Nordbahnhof. Zu ihren namhaftesten Geistlichen zählten Szadowski und Stoff.

Die jüdischen Mitbürger hatten in Königsberg fünf Synagogen, allerdings nur zwei mit eigenen Gebäuden. Zentrum war ursprünglich die »alte Synagoge«, die aufgrund einer Genehmigung durch Friedrich den Großen 1756 am Schnürlingsdamm entstanden war. 1893 gab es eine zweite Synagoge in der Synagogenstraße. Das imposanteste Gebäude war freilich die »Neue Synagoge«, 1894–1896 auf der Lomse anstelle abgebrochener Speicher errichtet, deren Kuppel fast 50 Meter hoch war. Sie ist – wie alle jüdischen Gotteshäuser – 1938 von den Nazis niedergebrannt worden. Ihre bedeutendsten Rabbiner waren Hermann Vogelstein und Reinhold Lewin. Namhafter Kantor war Eduard Birnbaum, dessen musikwissenschaftlicher Nachlaß sich heute in Cincinnati/USA befindet.

Von den kleineren religiösen Gruppen und Sekten erwähne ich die aus Rupps Tradition herkommende »Freie Gemeinde«, die ich 1923 in Gestalt einer besonderen »Freireligiösen Gemeinde« kennengelernt habe. Ihre Predigerin war damals Gertrud von Petzold, seinerzeit der erste weibliche Prediger in Europa! Diese Gemeinde, die unter anderem auch viele Sozialdemokraten zu ihren Anhängern zählte, ist 1934 im gesamten Reichsgebiet verboten worden.

Aus dem großen Kreis der Geistlichen sind viele weit über den kirchlichen Wirkungsbereich hinaus bekanntgeworden, zum Beispiel Ankermann, Borrmann, Gennrich, Grzybowski, Herford, Hoffheinz, Knapp, Konschel, Korallus, Lackner, Linck, Matz,

Quandt, Quitschau, Rohde, Schaumann, Schmidt, Schwandt, Wien und die Brüder Willigmann.

Mit dem Jahre 1933 zog für alle Kirchen eine besorgniserregende, immer bedrohlicher werdende Gefahr herauf. Vom Gauleiter Erich Koch, der aus Wuppertal nach Ostpreußen gekommen war, hatte man anfänglich angenommen, er sei überzeugter Christ. Das schien auch bei der Reformationsfeier 1933 im Schloßhof hervorzugehen, wo Koch sprach. Dann aber setzte eine Auseinandersetzung innerhalb der Kirche mit den sogenannten »Deutschen Christen« ein. Inzwischen hatte schon der Wehrkreispfarrer Ludwig Müller (1883–1945) eine verhängnisvolle Rolle gespielt. Er brachte in seiner Wohnung General von Blomberg mit Hitler bei dessen Anwesenheit in Königsberg zusammen und beseitigte auf diese Weise das Mißtrauen des Reichspräsidenten und Feldmarschalls von Hindenburg gegen den »böhmischen Gefreiten«. Müller wurde Reichsbischof (spöttisch »Reibi« tituliert), versagte kläglich und versank rasch in Vergessenheit. Die »Deutschen Christen« drängten zuerst den Generalsuperindendenten D. Paul Gennrich (1865–1946), zugleich erster »Hofprediger« in der Schloßkirche, der seit 1917 amtiert hatte, aus dem Amt, ohne daß dieser ernstlich Widerspruch erhob. Sein Nachfolger wurde – mit dem Titel eines Bischofs – Fritz Kessel, der nun die Kirche rigoros »gleichschalten« wollte. Als er am Widerspruch vieler Pfarrer scheiterte, trat er 1936 in den Ruhestand und wurde auch bald vergessen.

In der sich nun politisch zuspitzenden Situation erinnerten sich viele Pfarrer an ein »Wort an die Gemeinden in Deutschland«, das auf dem 4. Evangelischen Kirchentag in Königsberg ausgesprochen worden war: »Man soll die Sache Gottes nicht gleichsetzen mit der Sache irgend eines Volkes. Es gibt eine Gemeinschaft des Glaubens und der Liebe, die über Volksgrenzen und Rassenunterschiede alle verbindet, die sich zu Jesus Christus bekennen.« In diesem Sinne sammelten sich viele im »Pfarrernotbund«, dann in der »Bekennenden Kirche«. Führende Köpfe dieses Widerstandes waren an der Universität Julius Schniewind (1883–1948) und Hans-Joachim Iwand (1899–1960). Schniewind wurde strafversetzt und 1937 seines Amtes enthoben, Iwand die venia legendi entzogen, 1937 wurde er aus Ostpreußen ausgewiesen. Seine letzte Ruhestätte hat er in Beienrode unweit Helmstedt gefunden. Wenn meine Klassenkameraden sich dort alljährlich treffen, gedenken wir am Grabe Iwands als eines charaktervollen Kämpfers. Insgesamt sind während des Kirchenkampfes in Ostpreußen 141 Pfarrer, darunter sieben Königsberger, verhaftet worden. Der später sehr bekannt gewordene Rechtsanwalt Paul Ronge (1901–1965), der in Königsberg in die Praxis des Strafverteidigers Aschkanasy eingetreten war und sie nach dessen Tod (1936) mit Berthold Joachim übernommen hatte, hat allein 136 Pfarrer vor Gericht verteidigt. Zur Wehrmacht sind in Ostpreußen 289 Pfarrer eingezogen worden, von denen 49 gefallen, 68 vermißt und 16 in Gefangenschaft verstorben sind. Auf der Flucht sind 38 Pfarrer umgekommen, sieben beim Untergang der »Steuben«, dabei vier aus Königsberg. So opferreich war der Beitrag der ostpreußischen Kirche.

Ein garstig Lied! Pfui!
Ein politisch Lied?

Das ist nicht Goethes Meinung, sondern das stammt von den bramarbasierenden Spießbürgern in Auerbachs Keller. Die Zeiten, in die ich hineingeboren wurde, waren früh dazu angetan, das Interesse an öffentlichen Dingen zu wecken. Wenn man wie ich zwei Schuldirektoren erlebt hat, die Stadtverordnete von Format waren und von deren Tätigkeit sich manches im Unterricht widerspiegelte, wenn man einen Stadtschulrat gekannt hat, der an vielen Phasen des politischen Lebens – oft widersprüchlich! – beteiligt war und gerne davon plauderte, wenn man mit einem Redaktionskollegen befreundet war, der – als er mir seinen Arbeitsplatz räumte – jüngster deutscher Reichstagsabgeordneter wurde, dann wird man geradezu mit der Nase in die Politik gestoßen.

Ich besinne mich auf zwei Formen eines Kriegsbeginns: die ehrlich-naive Massenbegeisterung von 1914 und das betreten-ahnungsvolle Schweigen von 1939. Wenn man als Elfjähriger aus dem überkommenen bürgerlichen Dasein herausgerissen wird – mein Vater war vom ersten Mobilmachungstag an Soldat – wenn man in den Ferien bei den Großeltern in deren Lehrerhäusern auf dem Lande die Auswirkungen des Russeneinfalls in Ostpreußen erlebt hat, wenn man schließlich aktiv in die Mithilfe beim Sammeln von Altmaterial, beim Kriegsanleihezeichnen, Kartoffelroden und so weiter hineingezogen wird und dabei den Wandel vom äußerlichen Patriotismus zur bissigen Kritik an der Kaiserzeit erfährt, dann muß man früher aufwachen als sonst in solchen Jahren.

Wie heute erinnere ich mich an jugendbeschwingte Zusammenkünfte im Hause Löbenichtsche Langgasse 48. Dort wohnte der Redakteur Werner Lufft. Er hatte 1921 das Experiment mit einer eigenen Wochenzeitung gewagt. Sie hieß »Montag im Osten«, hat aber nur drei Monate existiert. Ihr Start wurde mit vielen Hoffnungen begrüßt, jede Ausgabe nahezu fieberhaft erwartet, dennoch konnte sie sich nicht durchsetzen und fiel den widrigen Zeitläufen zum Opfer; heutzutage ist kein einziges Exemplar mehr vorhanden – wer das miterlebte, mußte geradezu sensibel am Zeitgeschehen, seinen äußeren Erscheinungen und tieferen Ursachen teilnehmen und bald die Lust verspüren, selbst aktiv mitzugestalten.

Beflügelt wurde eine solche Bereitschaft durch die imponierende Begegnung mit Otto Braun, dem langjährigen Preußischen Ministerpräsidenten. Wenn er nach Ostpreußen kam – auch um auf der Jagd auszuspannen –, versäumte er nie, seine alte Redaktion der »Königsberger Volkszeitung« aufzusuchen. Für einen jungen, in diesen Jahren besonders hellhörigen Redakteur war es eine Sensation, mit einem Mann parlieren zu können, der in seiner Vaterstadt Königsberg aus proletarischen Verhältnissen über den Redakteur, Krankenkassenrendanten und Parteikassierer bis zum zwölf Jahre amtierenden Ministerpräsidenten Preußens aufgestiegen war. Hinzu kam, daß ich einen Schulkameraden – den späteren Ministerialdirektor Dr. Wolfgang Schmidt – kennenlernte, der es nach glänzendem juristischen Examen zum Landrat gebracht und den Otto Braun gefördert hatte. Von diesem erfuhr ich die Tragödie um Brauns einzigen Sohn. Dieser war 1915 in einem ostpreußischen Kriegslazarett an Diphtherie verstorben. Otto Braun hat den schon beigesetzten Sohn selbst ausgraben, in einen Sarg betten und nach Berlin-Friedenau überführen müssen. Von solchen seelischen Erschütterungen – auch später von der lebensbedrohenden Erkrankung seiner Frau – hat er nie ein Sterbenswörtchen verlauten lassen, er blieb distanziert, ja im Menschlichen scheu. Um so mehr überraschte Brauns entschlossene Handhabung der politischen Macht und die schlichte, aber imponierende Repräsentanz der Führungsmacht in Preußen. Erstaunlich war auch in den Jahren nach 1925 sein vielgerühmtes Verhältnis zum Reichspräsidenten von Hindenburg, so daß das Bonmot umging: »Wer von Hindenburg etwas will, geht am besten vorher zu Braun.« Ich habe selbst miterlebt, wie Otto Braun auf einem Delegiertentag seiner eigenen Partei in Königsberg wegen seiner Jagdleidenschaft attackiert wurde. Gelassenironisch antwortete er, »daß es gerade in kritischen Zeiten gilt, die Nerven zu behalten, und daß es dafür geeignetere Orte gibt als Berliner Literatencafés«.

War dieses Beispiel imponierender preußischer Staatsführung wie persönlicher Solidität schon ein Vorbild für einen jungen Menschen, so habe ich lange die – für mich vermeintlichen – Widersprüche in einer anderen Persönlichkeit nicht aufklären können. Ich meine Königsbergs Stadtschulrat Professor Dr. Paul Stettiner. Er kannte meinen Vater, hatte mich dem Altstädtischen Gymnasium zugewiesen, in Kriegsjahren war er wiederholt bei Ausfällen als Lehrer eingesprungen, jetzt traf ich ihn, als ich Redakteur geworden war, wieder. Stettiner war Junggeselle geblieben, er liebte es, nach Veranstaltungen noch eine Weile am Journalistentisch Platz zu nehmen und dort geistvolle Gespräche zu führen. Das tat er gerne auch mit mir – vielleicht in der heimlichen Absicht, mich zu seinen Überzeugungen zu bekehren. Stettiner hatte eine interessante Entwicklung zurückgelegt: aus einem jüdischen Hause stammend, war er in jungen Jahren zum Christentum konvertiert, hatte meine Schule besucht, war Oberlehrer am Löbenichtschen Realgymnasium und 1910 Stadtschulrat geworden. In dieser Funktion hat er achtzehn Jahre hindurch bis zur Selbstaufopferung rastlos gewirkt. Darüber hinaus war er an allen kulturellen Angelegenheiten intensiv beteiligt und wurde eine Art von Kultusminister Königsbergs. Oberbürgermeister Dr. Lohmeyer hat den vielgebildeten Mann »ein wandelndes Konversationslexikon« genannt.

Dies alles fesselte an Stettiner, und ein heranwachsender Mensch vermochte viel von ihm zu profitieren. Weniger gefielen mir seine politischen Eskapaden. Während des Krieges verirrte er sich in die Reihen der »Vaterlandspartei«, in der Weimarer Republik hatte er es bis zum Provinzialvorsitzenden der »Deutschen Volkspartei« gebracht; er war eine betont nationale Persönlichkeit. Kaum etwas hat mich so erschüttert wie die Schmach, die ihm die nationalsozialistischen Emporkömmlinge angetan haben. Er wurde nicht nur aus dem öffentlichen Leben entfernt, man legte ihm den Vornamen Israel zu, und als er 1941 gezwungen werden sollte, den Judenstern zu tragen, nahm er sich das Leben. In seinen Händen hielt der Tote Kants Werke. Erst nach dem Kriege habe ich herausbekommen, daß seine Urne auf dem jüdischen Friedhof Berlin-Weißensee beigesetzt worden ist. Meine Lehrer Siegfried und Olga Dorothea Sierke haben sich dann um das Grab gekümmert. Ein anderer Lehrer, Oberstudienrat Dr. Jander, schrieb mir, Stettiners Haushälterin habe ihm erzählt, »er hat in seinen letzten Stunden geseufzt und geweint. Ich dachte daran, daß man behauptet, es gebe Menschen, die im Sterben so etwas wie eine Sehergabe erhielten, und daß der alte Stettiner in der Agonie all das Furchtbare erahnte, das Deutschland und uns allen bevorstand.«

Noch eine dritte Königsberger Persönlichkeit ist mir lebenslang ein Vorbild gewesen. Mein eigener Arzt Alfred Gottschalk. Glücklicherweise habe ich ihn als »Medizinmann« kaum in Anspruch nehmen müssen, um so mehr galt mein Interesse dem Politiker Gottschalk. Schon als junger Mensch hatte er um seiner politischen Ideen willen das väterliche Erbe ausgeschlagen. In Jugendjahren fand er bereits Gefährten in Braun, Haase, Crispien, Marchionini. Dann war er Jahrzehnte lang Stadtverordneter und dort Vorsitzender seiner Fraktion, ebensolange Vorsitzender der Königsberger SPD. Oft habe ich ihm in seinem Ordinationszimmer, das mehr einer Studierstube glich, gegenübergesessen und dabei Bedeutsames, Lehrreiches und nach 1933 auch Hochpolitisches erfahren, zum Beispiel von Gesprächen mit Lohmeyer, Goerdeler, Baurat Schwartz und Uhrenhändler Bistrick, die allesamt jenen Widerständlern zugehörten, die am 20. Juli 1944 Goerdeler zum Reichskanzler vorgesehen hatten, aber tragisch und folgenschwer gescheitert sind.

Vom Plakatkleben und Flugblattverteilen angefangen bis zu ersten eigenen Reden, dann von der Berichterstattung bei politischen Veranstaltungen, der Stadtverordnetenversammlung im Junkerhof, oder dem Provinziallandtag im Landeshaus gefesselt

– es war eine interessante Zeit in jenen Jahren der vielgeschmähten Weimarer Republik. Das »tollste« Stückchen, das ich mir damals geleistet habe, war jene Demonstration an einem Septemberabend des Jahres 1930 im Tragheimer Schützenhaus. Dort hatte die NSDAP eine Rede von Hermann Göring angekündigt, der noch nicht in südamerikanischer Laufbahn zum Feldmarschall aufgestiegen war, sondern als Fliegerhauptmann im Braunhemd, mit dem »Pour le mérite« geschmückt, auftrat. Der spätere Gauleiter und Oberpräsident Erich Koch – der heute, mehr als dreißig Jahre danach, im ostpreußischen Wartenburg bei den Polen seine lebenslange Gefängnisstrafe absitzt – eröffnete die Versammlung. Kaum hatte die Kapelle einen Militärmarsch intoniert, schloß sich unerwartet daran der Gesang des Liedes »Brüder, zur Sonne, zur Freiheit!« an. Nachdem sich der Versammlungsleiter Erich Koch nach anfänglichem Erschrecken gefaßt hatte, ließ er die Kapelle wieder in Aktion treten; da diese jedoch nicht ständig pusten konnte, war bald wieder unser Gesang an der Reihe. So ging es über eine halbe Stunde hin und her, ohne daß Göring das Wort ergreifen konnte. Dann löste der überwachende Polizeioffizier die Zusammenkunft mit der Bemerkung auf, das musikalische Unterhaltungsbedürfnis scheine ihm hinreichend gestillt zu sein. Ohne die später üblich werdenden Zwischenfälle brachialer, ja blutiger Art gingen die Teilnehmer nach Hause; die Nationalsozialisten waren nicht zu Wort gekommen!

Als ich wenige Tage danach in einer von Alfred Gottschalk geleiteten Funktionärsversammlung der Königsberger SPD dieses Vorkommnis als Beispiel eines möglichen Abwehrkampfes schilderte, wies er mich scharf mit den Worten zurecht: »Sie, der Sie über eine Universität gegangen sind, sollten sich schämen, der Arbeiterbewegung solche Methoden zu empfehlen! Wir kämpfen am 14. September mit dem Stimmzettel!« An diesem 14. September zog die NSDAP mit 104 Mandaten in den Reichstag ein; von einem normalen Parlamentsbetrieb war nicht mehr die Rede.

Mensch, du sitzt ja im Gefängnis!

Das Jahr 1932 ließ die politische Fieberkurve ungewöhnlich ansteigen. Auf dem Hintergrund von Weltwirtschaftskrise, Massenarbeitslosigkeit und Erschütterungen des parlamentarischen Lebens fanden fünf Wahlen statt. Da ich als Redner beteiligt war, entsinne ich mich deutlich an sie. Am 13. März und 10. April fanden die Wahlen um den Reichspräsidenten statt, am 24. April eine Wahl zum Preußischen Landtag, am 31. Juli und am 6. November wurden Reichstagswahlen abgehalten. Sie zeitigten eine Schwächung der demokratischen Mitte und brachten ein schnelles Ansteigen der politischen Extreme. Wahlversammlungen konnten meistens nur noch unter dem Schutz von Polizei und halbmilitärischen Schutzformationen der Parteien durchgeführt werden. Zusammenstöße und Schlägereien waren an der Tagesordnung. In der Nacht vom 31. Juli zum 1. August versuchten in Königsberg die Nazis »eine Probenacht der langen Messer«, bei welcher der Stadtverordnete Sauff ermordet, Regierungspräsident von Bahrfeldt, Chefredakteur Wyrgatsch und Stadtverordneter Zirpiens durch Revolverschüsse verletzt wurden.
Als ich mich am 25. Februar 1933 an meinen Redaktionstisch im »Otto-Braun-Haus« in der II. Fliesstraße 4/6 setzen wollte, fand ich dort ein Verbot der Zeitung vor. In ihrem 41. Jahrgang hatte die »Königsberger Volkszeitung« ihr Ende gefunden, denn das Verbot wurde nicht wieder aufgehoben. Ihre letzten beiden Bände, welche diese aufgeregte Zeitlichkeit widerspiegeln, befinden sich in Göttingen im Staatlichen Archivlager (Stiftung Preußischer Kulturbesitz), dem früheren Königsberger Staatsarchiv.
Nun war ich arbeitslos und reihte mich auf dem Arbeitsamt in die Schlange der Tausende ein, die dort ihr »Stempelgeld« abholen wollten. Wie würde es wohl weitergehen? Noch hatte man die

Möglichkeiten eines totalitären Systems nicht ernsthaft begriffen, glaubte an baldiges »Abwirtschaften«, nicht aber an die völlige Auslöschung aller demokratischen Spielregeln. Am 4. März 1933 hielt Hitler im Königsberger »Haus der Technik« seine letzte aufpeitschende Rede zur Reichstagswahl des folgenden Tages. Wenn man die auf ihn wartenden gläubigen oder auch fanatisierten Menschen betrachtete, konnte einem Angst und Bange werden, so kritiklos setzten seine Anhänger und Wähler ihre Hoffnung auf diese Person. Im Radio vernahm man an diesem Abend nach der sich überschlagenden Stimme Hitlers das Abendgeläut des Königsberger Doms – und der französische Dichter Romain Rolland – ein Freund Deutschlands – trug in sein Tagebuch ein: »Mit einemmal sind Stille und Nacht wiedergekehrt!«

Als ich am Tag nach der Reichstagswahl vom 5. März 1933 meine Redaktionsräume aufsuchen wollte, fand ich das Haus von SA besetzt, die es auch bis 1945 in den Händen halten sollte. Nun traf man sich – da am 2. Mai auch das Gewerkschaftshaus auf dem Vorder-Roßgarten 61/62 »vereinnahmt« worden war – in Restaurants, Privatwohnungen, später auch in Glacis. Noch konnten Mitteilungen im Abzugsverfahren verbreitet werden, es wurde auch der Versuch unternommen, eine Organisation aufrechtzuerhalten, aber dies sollte bald sein Ende finden.

Am Nachmittag des 20. Juni 1933 klingelte es an meiner Wohnungstür. Zwei Zivilbeamte der politischen Polizei nahmen eine Haussuchung bei mir vor, fanden aber nichts. Ein zufällig anwesender Jugendfreund, Gerhard Krisch, der mir die »Neue Zürcher Zeitung« gebracht hatte, interessierte sie nicht. Mir hingegen legten sie ein Papier vor, wonach ich »zum Schutz von Volk und Staat« in »Schutzhaft« genommen werden müßte. Unter ihrem Geleit wurde ich im Polizeirevier in der Nähe des Königstors abgeliefert. Dort entschuldigte sich der Polizeioffizier dafür, daß er mich unter Aufsicht eines uniformierten Beamten zum Polizeipräsidium in der Stresemannstraße bringen lassen müsse, es solle aber unauffällig durch die Glacisanlagen geschehen.

Im Polizeipräsidium eingeliefert, fand ich viele Bekannte vor, so den Arzt Alfred Gottschalk, den längst im Ruhestand befindli-

Mit ihrem charakteristischen Turm wurde die Löbenichtsche Kirche als »St. Barbara auf dem Berge« 1334–1352 errichtet. Eine ähnliche Turmzier trug auch der Schloßturm bis zum Jahre 1864.

Um die Jahrhundertwende begann die Entdeckung der Natur. Für die Königsberger gehörte naturgemäß die Ostsee dazu – und bald waren der Strand und das Seebad Cranz zu einem »Vorort« Königsbergs geworden.

chen Gewerkschaftsvorsitzenden und ehemaligen Landtagsabgeordneten Ferdinand Mertins – den man mit dem MdR Arthur Mertins verwechselt hatte –, den Reichsbannersekretär Adolf Kalesse, die Gewerkschaftssekretäre Gerhard Brandes (nach dem Krieg Finanzsenator in Hamburg), Arthur Lorenz, Wilhelm Meissner (nach dem Krieg Gesandter der DDR in Ungarn), Franz Scharkowski (1945 in Königsberg von den Russen mitsamt seinem Bruder erschlagen, als er sich schützend vor seine Frau stellte), Karl Tietz, den auch schon im Ruhestand lebenden Parteisekretär Franz Donaliss, ferner Deutschnationale, Zentrumsanhänger, jüdische Mitbürger, Polizeirat Ohme, Ärzte wie Meyer und andere. Vorerst ging alles halbwegs menschenwürdig zu, da man es mit alten preußischen Beamten zu tun hatte. Ich entsinne mich, daß mich an einem heißen Sommertag ein Wärter fragte:»Ist es hier nicht zu heiß?« Als ich mit Nein antwortete, erwiderte er:»Wenn ich Ihnen sage, es ist hier zu heiß, dann ist es so! Unter diesen Umständen kann ich es nicht verantworten, die Zellentüren geschlossen zu halten!« So konnten wir uns auf dem Korridor ergehen und von den später Eingelieferten neueste Nachrichten erfahren.

Eines Nachts hörten wir in der Frauenabteilung im Stockwerk unter uns ein schreckliches Schreien. Es war Frau Schütz, die erfahren hatte, daß man ihren Mann, den Reichstagsabgeordneten Walter Schütz (1897–1933), Vorsitzenden des Staats- und Gemeindearbeiterverbandes, im Gebäude der »Königsberger Volkszeitung« ermordet hatte. Er blieb nicht das einzige Opfer dieser schrecklichen Tage!

Auf der Pritsche neben mir lagerte der alte Kämpe Ferdinand Mertins. Er hatte sein Leben lang treu der Arbeiterbewegung gedient. Nun lag er höchst unbequem auf der harten hölzernen Unterlage. Ich konnte ihm meine Decke zur Verfügung stellen und dankbar hat er mir viel aus seinem Leben erzählt, das er als Schuhmacher begonnen und das ihn in den Preußischen Landtag geführt hatte. Eines Nachts gab es eine große Aufregung. In meiner Zelle hatte sich der Arzt Dr. Meyer die Pulsadern durchschnitten, konnte aber gerettet werden.

Diese fünf Monate »Schutzhaft« waren so recht geeignet, Rückschau und Selbstkritik zu halten. Wieso war es so gekommen, warum war der erste Demokratieversuch gescheitert? Was war falsch gemacht worden, was hatte man unterschätzt? Auch der eigene Lebensweg wurde überprüft. Da hatte man anstelle der akademischen Laufbahn das politische Engagement gewählt, hatte sich aktiv und anständig für die Demokratie eingesetzt – nun saß man im Gefängnis!

So plötzlich wie ich verhaftet worden war, erfolgte auch ohne Vernehmung oder Begründung die Entlassung. Aber unter Geleit eines »Goldfasanen« wurde ich gleich zum Arbeitsamt gebracht. Am nächsten Morgen mußte ich mich auf dem Hauptbahnhof einfinden und traf hier Tausende und Abertausende bereits Wartender. Auf solche Weise machte der Gauleiter Koch, wie er Hitler triumphal meldete, »Ostpreußen frei von Arbeitslosen!« Ich wurde mit Decke und Spaten ausgestattet und dann einer Gruppe zugeteilt, in der ich meinen Redaktionskollegen Wilhelm Endrulat und den jungen Gewerkschaftssekretär Max Sommerfeld traf. Als wir in ein Eisenbahnabteil stiegen, stellten wir fest, daß die übrigen Insassen jüdische Mitbürger waren; sie entstammten allen Berufszweigen, vom Arzt, Rechtsanwalt, Kaufmann, Vertreter bis zum Totengräber. Stundenlang ging die Bahnfahrt ins tiefste Masuren, dann landeten wir nach einem Fußmarsch in einer Försterei. Dort empfing uns ein junger Förster, der an seiner Uniform das Parteiabzeichen der NSDAP trug. Schon hatten wir uns auf Schlimmes gefaßt gemacht, da änderte sich die Szene fast zur Drôlerie. Morgens mußten wir vor dem Försterhaus antreten, dann wurde die Hakenkreuzfahne gehißt. Die Juden hoben ihre Hände zum »deutschen Gruß«, wir anderen verkrochen uns in die hinterste Reihe, um nicht »die Flosse heben« zu müssen. Unter Anführung eines Kämmerers zog dann die dreißigköpfige Gruppe in den Wald, hackte Wacholdersträucher um, beseitigte törichterweise Büsche an Wasserläufen und tat zumeist nichts Gescheites, nur um die Zeit zu überbrücken. Mich und den im Café Bauer beschäftigt gewesenen Cellisten Pertl behielt der Förster zurück, holte – nachdem er uns mit einem selbstgebrauten Schnaps angefeuert hatte – seine Geige hervor und musizierte stundenlang mit uns. Allmählich lernten wir ihn näher kennen, er war »ein Kerl von Samt und Seide, nur schade, daß er . . .«

Nach einigen Wochen solchen Daseins wieder nach Königsberg zurückgekehrt, begann ein mühseliges Bemühen um berufliche Zwischentätigkeiten aller Art. Was war ich nicht alles? Tiefbauarbeiter, Versicherungsvertreter, Fahrkartenknipser und anderes mehr! Traf man beim Gang durch die Straßen Bekannte, so kannten sie einen häufig nicht mehr, andere gingen schnell auf die gegenüberliegende Straßenseite, wieder andere flüsterten einem hastig etwas zu, nachdem sie sich zuerst vorsichtig umgesehen hatten. Dankbar erinnere ich mich, daß mir Professor Müller-Blattau Mut zusprach. Ansonsten war alles plötzlich 150prozentig geworden. Noch heute kann ich es nicht fassen, daß mich eine Bewohnerin meines Hauses bei der Gestapo angezeigt hatte, weil ich auf ihren »Heil Hitler«-Gruß angeblich immer demonstrativ durch Hutabnehmen und »Guten Tag« gedankt hätte.

Zu den Möwen an die See
mit Samlandbahn und KCE

So las man es auf den Werbeheftchen mit den Fahrplänen nach Cranz oder Neukuhren, Rauschen, Georgenswalde und Warnikken, deren hellblauer Umschlagdeckel mit einer Ansicht des Meeres und darüber schwingenden Möwen geziert war. Ganz deutlich erinnere ich mich noch an die unscheinbaren Häuschen in Königsbergs Fuchsberger Allee, unweit des Polizeipräsidiums, die die Ausgangsbahnhöfe der Cranzer- und Samlandbahn waren. Später wurde die Fuchsberger Allee in Stresemannstraße und dann in General-Litzmann-Straße umbenannt.

Die KCE (»Königsberg-Cranzer Eisenbahn«) war schon 1869 geplant worden, konnte aber erst 1885 eröffnet werden und erhielt 1895 den Anschluß nach Cranzbeek, von wo aus dann entlang der Kurischen Nehrung der Schiffsverkehr über das Haff nach Rossitten, Nidden, Schwarzort bis nach Memel erfolgte. Während die Cranzer Bahn im Privatbesitz war – ihr Direktor von 1883–1918 war Baurat Bernstein –, gehörte die 1900 eröffnete Samlandbahn zur »Ostdeutschen Eisenbahn-Gesellschaft«. Ursprünglich hatte diese Gesellschaft zu der 1893 in Bromberg begründeten »Ostdeutschen Kleinbahn-Aktiengesellschaft« gehört, die aber – unter Namensänderung in »Ostdeutsche Eisenbahn-Gesellschaft« – 1900 ihren Sitz nach Königsberg an den Steindammer Kirchenplatz verlegte, als das Kleinbahnwesen in der gesamten Provinz aufblühte. So ist zum Beispiel auch von der Reichsbahn im Jahre 1900 die Kreisbahn Fischhausen–Gaffken–Thierenberg–Marienhof eröffnet worden, wo sie Anschluß an die Samlandbahn erhielt. 1900 wurde die Strecke Cranz–Neukuhren fertiggestellt, so daß man auf diese Weise die Samlandbahn und ihre an der Ostsee gelegenen Stationen erreichte. Der Bau der 45 Kilometer langen Samlandbahnstrecke war 1888 beschlossen worden, die Inbetriebnahme konnte aber erst 1900 erfolgen, weil sich beim Streckenbau im Bereich Rauschens Schwierigkeiten mit rutschendem Sand ergeben hatten.

Alle diese Eisenbahnbauten seit der Wende zu unserem Jahrhundert hingen nicht nur mit wirtschaftlicher Prosperität zusammen, sondern auch mit der jetzt aufblühenden Liebe zur Natur. Während im 19. Jahrhundert der »Gang vors Tor« schon das Äußerste an Freizeitgestaltung darstellte, dann im Ausgang desselben Jahrhunderts die nähere Umgebung der Städte aufgesucht wurde, begann nun die eigentliche Entdeckung der Natur. Ein Jugendlied jener Jahre beginnt mit den Worten: »Aus grauer Städte Mauern ziehn wir durch Wald und Feld«. Jetzt erst wurden die Menschen sich der Schönheit der Landschaft in ihren verschiedenartigen Aspekten bewußt. Dazu gehörte für die Königsberger naturgemäß die Ostsee. Bald war das Ostseebad Cranz zu einem Vorort Königsbergs geworden. Aber auch die entfernter liegenden Bäder Neukuhren, Rauschen, Georgenswalde und Warnicken fanden wachsendes Interesse. Als dann die Jugendbewegung und der Sport aufblühten, begann man, von Cranz aus die Einzigartigkeit der Kurischen Nehrung mit Sarkau, Rossitten und später auch Nidden zu empfinden.

Oft genug bin ich den waldumstandenen Weg nach Sarkau getippelt, wo eine gute Jugendherberge und ein Wanderheim zum Bleiben einluden. Unterwegs stieß man auf die schmalste Stelle der Kurischen Nehrung, die nur einen halben Kilometer breit war, so daß man Ostsee und Kurisches Haff mit einem Blick umfassen konnte. Wenn es dann nach Rossitten zu der berühmten Vogelwarte Professor Thienemanns ging, hatte man hinreichend Gelegenheit, mühsam durch »die Wüste am Meer«, das heißt durch den weißen Sand zu stapfen. Welches Unheil er angerichtet hatte, ehe er durch Anpflanzungen gezähmt wurde, verrieten verschüttete Dörfer wie Lattenwalde und Kunzen. Herrlich war es dann, am Strand des wogenden Meeres zu rasten, dem ruhelosen Spiel der Wellen zuzuschauen und den weißen Sand durch die Finger rinnen zu lassen. Wenn man nach einer sturmbewegten Nacht früh genug zur Stelle war und am Ufer des Meeres den ausgespieenen grünen Tang aufhob, fand man dazwischen häufig Bernsteinstücke in verschiedenen Größen, wenn man Glück hatte, sogar mit Einschlüssen von Tieren oder Blättern. Völlige Einsamkeit herrschte hier, es war wirklich ein Fleckchen Erde, von dem der Weltreisende Wilhelm von Humboldt zu Recht verkündet hat: »Die Kurische Nehrung ist so merkwürdig, daß man sie eigentlich ebensogut wie Spanien und Italien gesehen haben muß, wenn einem nicht ein wunderbares Bild in der Seele fehlen soll.«

Aber nicht nur die Kurische Nehrung, sondern auch die samländische Steilküste von Rauschen über Warnicken, Groß und Klein Kuhren bis Brüsterort und dann weiter zum Bernsteinwerk Palmnicken war eine Fußwanderung wert. Da gab es hinter Rauschen die Katzengründe, dann kletterte man durch die Gausupschlucht, bald erblickte man den geologisch interessanten Zipfelberg, bei Klein Kuhren erklomm man den 60 Meter hohen Wachbudenberg – auf dem der Maler Karl Storch der Ältere sein Häuschen mit herrlichem Ausblick errichtet hatte –, um sich schließlich der Steinbank und leuchtturmbewehrten Spitze von Brüsterort zuzuwenden. Oft stieß man unterwegs auf Stellen, an denen Bäume sturmgepeitscht dicht über dem Steilhang hingen oder von der nagenden See in die Tiefe gerissen worden waren.

Ich bin mit meinen Eltern, dann auf Schulausflügen, schließlich mit Jugendgruppen und auch solo mit der Liebsten unzählige Male an allen Stätten und Plätzchen dieser Samlandküste gewesen. Dort konnte man an billigen Volksausflugstagen halb Königsberg antreffen, der Cranzer Ostseestrand war dann fast so überfüllt wie der am Berliner Wannsee, aber auch die schönen Orte an der Samlandbahn wurden zunehmend frequentiert.

Die See – die See – das war ein lockender Anziehungspunkt für die Stadtmenschen. Man muß einmal in den Lebenserinnerungen von Käthe Kollwitz nachgelesen haben, welch ein Ereignis die lang ersehnte und gründlich vorbereitete Fahrt in die Ferien war. Noch ging es nicht mit der Eisenbahn dorthin. Käthe Kollwitz erzählt (in »Aus meinem Leben«): »Höhepunkt des Jahres waren die Sommerferien in Rauschen. Seit meinem neunten Jahr waren wir alle Sommer dort. Die Eltern machten einmal eine Reise durch das Samland und kamen nach dem Fischerort Rauschen, eine halbe Stunde von der See entfernt. Es waren vor kurzem mehrere Männer des Orts von einem großen Sturm auf See ertrunken. Die Witwe eines solchen, eine Frau Schlick, fanden die Eltern teilnahmslos vor sich hinbrütend auf der Schwelle ihres Hauses sitzen. Dies Haus hatte eine Lage, die die Eltern entzückte. Sie mieteten es erst und kauften es dann der Frau Schlick ab, so aber, daß diese mit ihren beiden Töchtern weiter im Hause wohnte. Der Vater nahm nun ein paar Veränderungen an dem Hause vor, aber es behielt ganz den Charakter des Bauernhauses. Die Fahrt nach Rauschen dauerte fünf Stunden. Eisenbahn gab es nicht, wir fuhren mit einer Journaliere, das war ein großer, mit vier oder fünf Sitzreihen versehener bedeckter Wagen. Die hinteren Sitzreihen waren herausgehoben, und es kam da herein, was man für viele Wochen brauchte: Bettsäcke, Wäsche, Körbe, Bücherkisten, Weinkisten. Welche Wonne, wenn erst die Journaliere vor dem Hause stand, alles aufgeladen war, Mutter, Mädchen, wir Kinder (der Vater kam meist nach) auf den Vordersitzen verstaut waren, der Kutscher sich auf seinen vorderen Extrasitz schwang, die drei, manchmal vier Pferde anzogen und es losging durch die engen Königsberger Straßen, durch das hallende Tragheimer Tor und dann quer durch das ganze Samland. Erst kurz vor Sassau konnte man zum erstenmal die See sehen. Da standen wir alle auf Zehenspitzen und schrien: Die See, die See! Die See ist mir niemals und nirgends mehr, auch nicht die Ligurische See, auch nicht die Nordsee, das gewesen, was die samländische See war. Diese unaussprechliche Erhabenheit der Sonnenuntergänge von der hohen Küste aus! Dies Ergriffensein, wenn man zum ersten Male sie wieder nah sah, den Seeberg runterrannte, Schuh und Strümpfe auszog und die Füße wieder das Gefühl des kühlen Seesands hatten! Dieser metallische Schall der Wellen!«

Im Jahre 1928 trat eine einschneidende Änderung ein, als es Oberbürgermeister Dr. Lohmeyer gelang, die Aktienmehrheit der Cranzer Bahn in den Besitz der Stadt Königsberg zu überführen. Dadurch war der Weg frei geworden zur Errichtung des 1930 am Hansaplatz eingeweihten Nordbahnhofs, der als Gemeinschaftsbahnhof nun die Reichsbahn für ihre Strecke nach Labiau und Tilsit und die Bäderbahnen für ihre bisherigen Strecken in einem stattlichen Gebäude verband. Die Verwaltung der »Ostdeutschen Eisenbahn-Gesellschaft« zog ebenfalls hierhin um. Dieser imposante Nordbahnhof hat alle Zeitläufe – auch nach 1945 – überdauert. Zur gleichen Zeit ist übrigens anstelle des veralteten Ost- und Südbahnhofs der – in seiner Gestalt auch heute noch fast völlig unveränderte – neue Hauptbahnhof auf dem Haberberger Grund in Betrieb genommen worden.

Um den Anschluß für die Reichsbahnstrecke über den Nordbahnhof zu ermöglichen, war bereits 1926 eine doppelstöckige Pregelbrücke eingeweiht worden, so daß anstelle des Lizentbahnhofs die Verbindung zum ebenfalls neu erbauten Bahnhof Holländer Baum und damit zum Nordbahnhof geschaffen werden konnte. Diese Umgestaltung der Bahnanlagen hat auch zahlreiche neue Straßen erforderlich gemacht, von denen der Deutschordensring die großzügigste Umgehungsstraße war. Als letzter Bahnbau ist im Zweiten Weltkrieg die Verbindungsstrecke Warnicken–Groß Dirschkeim–Palmnicken gebaut worden, so daß nun das Samland verkehrsmäßig ringsum von der Eisenbahn erschlossen war. Ob man auf diesen Strecken unterwegs ausstieg, etwa in Groß Raum oder in Marienhof oder Galtgarben-Drugehnen, überall erschlossen sich die Schönheiten dieser Landschaft. In Neukuhren machten viele Königsberger regelmäßig Sommerferien, in Rauschen-Ort und Rauschen-Düne hatten die Bemittelteren ihre Villen. Hunderttausende haben diese Chance, »zu den Möwen an die See« zu fahren und dort an Wochenenden oder auch länger Erholung zu suchen, reichlich genutzt; auch für Gäste »aus dem Reich« waren sie ein willkommenes Erlebnis.

Ich selbst verbinde mit zahllosen Ausflügen auf der Cranzer, noch stärker auf der Samlandbahn bewegende Erinnerungen. Daß sie noch bewegender werden sollten, hatte ich nicht vorausgeahnt. Nachdem ich mich und meine Familie zwischen 1933 und 1937 mit beruflichen Zwischentätigkeiten höchst mühsam über Wasser gehalten hatte, wurde ich auf Fürsprache des Eisenbahnoberamtmanns Hübner bei Direktor Münz von der »Ostdeutschen Eisenbahn-Gesellschaft« als »Aushelfer« bei der Cranzer Bahn eingestellt. Dies war die unterste Stufe der Eisenbahnlaufbahn, aber es schien doch etwas Sicheres zu sein. Kaum hatte ich meine Tätigkeit aufgenommen, erschien eine Abordnung unter Führung des Betriebsobmanns bei Direktor Münz und forderte meine Entlassung. Doch dieser blieb fest. Große Hochachtung empfinde ich für diesen Mann, der – mit einer jüdischen Frau verheiratet – ohnehin schon Schwierigkeiten hatte. Um so erschütterter war ich, als ich später im »Ostpreußischen Tagebuch« des Arztes Hans Graf von Lehndorff jene Stelle fand, in der er vom heute noch unausdenkbaren Ende des Direktors Münz nach dessen Vernehmung durch die Russen berichtet: »Ich denke an einen alten Mann, der aus dem Keller zu uns getragen wurde. Er war mit Läusen so bedeckt, daß man ihn nur mit einem Ameisenhaufen vergleichen konnte ... Mit kaum verständlicher Stimme teilte er mir mit, er sei früher Direktor der Cranzer- und Samlandbahn gewesen und habe deswegen Angst vor der Vernehmung. Ich möchte es doch um des Himmels Willen nicht weitersagen. Eine Stunde später war er tot.«

Aus diesen Übergangsjahren bei der Cranzer Bahn habe ich naturgemäß auch viele Mitarbeiter der Samlandbahn wie der »Ostdeutschen Eisenbahn-Gesellschaft« kennengelernt, mit manchen verbanden mich allmählich gute Kontakte. Ich denke zum Beispiel an die Bahnverwalter Holsten und Kaminski, an die Oberbahnmeister Boy und Freyse, an Dörge, Lipki, Muche, Salewski, Zlomke. Viele von diesen, die mitgeholfen haben, die Schönheiten des Ostseestrandes einem großen Menschenkreis zu erschließen, haben nach 1945 ein trauriges Ende gefunden. So blüht nur noch die Erinnerung an schöne Jahre auf, als wir unbeschwert gemeinsam »zu den Möwen an die See mit Samlandbahn und KCE« fuhren.

Na denn auf Wiedersehn,
mein Hauschen

Im Juli 1939 schrieb mir mein Klassenkamerad Georg Baasner, der sich – nach einem etwas merkwürdigen Lebensweg – nicht ohne Erfolg auch schriftstellerisch betätigt hatte, ihm stehe ein großer literarischer Erfolg bevor: anläßlich der 25-Jahr-Feier zur Erinnerung an die Schlacht von Tannenberg werde sein »Freiraumdrama Tannenberg« uraufgeführt werden. Es kam nicht dazu, da der Ausbruch des Zweiten Weltkriegs alles total veränderte.

Eine solche Absetzung eines Theaterstückes habe ich noch einmal erlebt. Immer schon hatte mich der Elbinger Paul Fechter (1880–1958) nachhaltig interessiert. Dies galt nicht nur dem Romancier von »Das wartende Land« (1931) oder »Die Fahrt nach der Ahnfrau« (1935), sondern dem Literarhistoriker, Theaterwissenschaftler und Feuilletonisten für große Berliner Zeitungen. Im Jahre 1941 erzählte mir ein Mitarbeiter des »Neuen Schauspielhauses«, daß er bei einer Uraufführung mitwirken werde. Auf meine wissensdurstige Nachfrage verriet er mir, es handle sich um Paul Fechters »Der Zauberer Gottes«, also um jene – in vielem sagenumwobene – Pfarrergestalt, Michael Pogorzelski, der den Masuren gehörig aufs Maul geschaut hatte und in einer mitunter ulkigen Ausdrucksform so predigte, daß ihn seine Gemeindemitglieder wirklich verstanden. Kurz vor dem erwarteten Theaterereignis wurde die Uraufführung vom Berliner Propagandaministerium verboten; die Masuren mußten wohl 100prozentig deutsch reden und nicht etwa noch zum Teil in ihrem dem Polnischen verwandten Dialekt.

Überhaupt erfuhr man in diesen Jahren – natürlich nur »klammheimlich« – mancherlei, was zunehmend besorgniserregendes Nachdenken auslöste. Ein Bekannter, den ich ein paar Jahre nicht gesehen hatte, erzählte mir – nach dem Versprechen absoluten Schweigens –, daß er im »Schlageter-Haus« (so hieß jetzt das frühere »Haus der Technik«) damit beschäftigt sei, Roggen umzuschütten. Ich hielt das zunächst für einen schlechten Witz, doch er versicherte mir, daß in dem riesigen Versammlungsraum Tausende von Tonnen Getreide gelagert seien. Später erfuhr ich, daß nicht nur dort, sondern in allen Speichern, sogar in Turnhallen und Tanzsälen von Rußland gelieferte Nahrungsmittel in großen Mengen gelagert wurden, eine Tatsache, die auch Professor Gause bestätigt. Dann wurde man noch stutziger, als ein bei der Wehrmacht tätiger Bekannter auf dem Seeweg mitsamt zahlreichen anderen Truppenteilen in Königsberg eingetroffen war. Daraus wurde öffentlich natürlich kein Aufhebens gemacht.

Was die Stunde geschlagen hatte, erfuhr man am 1. September 1939; mit dem Überfall auf Polen hatte Hitler den Zweiten Weltkrieg ausgelöst, der in einer unvorstellbaren Katastrophe enden sollte. Wenn damals jemand gesagt hätte, fünf Jahre später würde Königsberg in seinen historischen Bauten und den meisten Kunstschätzen ausgelöscht sein, kaum ein halbes Jahr danach würde in den Straßen der mehr als 700 Jahre alten Stadt gekämpft werden, man hätte ihn für nervenkrank gehalten. Für mich waren die letzten Januartage 1945 das schlimmste Erlebnis meines Lebens: durch Ruinen und Trümmer meiner Vaterstadt jagte ich nach Kalthof, um meine Mutter und andere Angehörige innerhalb weniger Minuten zu den letzten Schiffen zu bringen, die Königsberg noch vor der Einschließung durch die Russen verlassen konnten. Unter Heulen und Zähneklappern ging es los, allein meine Mutter blieb gefaßt, drehte sich noch einmal zu dem Wohnhaus um, in dem sie über dreißig Jahre gelebt hatte und sagte: »Na denn auf Wiedersehn, mein Hauschen!«

Niemand von uns Überlebenden hat sein »Hauschen« wiedergesehn. Wo Königsberg einmal war, existiert jetzt die russische Provinzstadt Kaliningrad mit 300 000 Einwohnern. Das Schloß ist abgerissen worden, dort erheben sich ein Zirkus und ein Parteihaus. An die Domruine lehnt sich nur noch das Grabmonument für Immanuel Kant. Die gesamte Innenstadt nebst dem

Speicherviertel gibt es nicht mehr. Ist es – auch mehr als dreißig Jahre danach – überhaupt auszudenken, daß eine charaktervolle Stadt mit großer Tradition nicht mehr vorhanden, sondern zu einem russischen Provinznest abgesunken ist, das noch kein Deutscher betreten konnte?

Die Gattin meines Schuldirektors Mentz hat mir einige Briefe des leider zu früh verstorbenen Dichters Johannes Bobrowski (der auch meine Schule besucht hat) hinterlassen. Wenn ich sie voll Anteilnahme immer wieder lese, stoße ich dabei auf eine mich besonders bewegende Passage: »Für Ihren schönen Glückwunsch zu dem Preis, der übrigens der zweite in diesem Jahr ist – ich erhielt im Frühjahr in Wien den Alma-Johanna-Koenig-Preis –, bedanke ich mich herzlich. Ich weiß, daß Ihr Gatte, mein verehrter und bewunderter Direktor, Freude darüber gehabt hätte. Als ich seinerzeit die Schwabschen Sagen herausgab, schrieb er mir seine Anerkennung, und wenn ich auch kein guter, jedenfalls kein fleißiger Schüler gewesen bin, so erinnere ich mich doch gut, daß er die ersten künstlerischen Neigungen bei mir aufmerksam beobachtet hat, wie ja seinen eigenen wissenschaftlichen Arbeiten immer auch ein spürbarer künstlerischer Zug eigen war. Ich weiß noch, daß er mir einmal riet, Kunsterzieher zu werden, um später in diesem Fach am Stadtgymnasium zu wirken. Auch hat er mehrfach Aufsätze von mir in den ›Mitteilungen‹ drucken lassen, und zum Jubiläum der Schule machte ich den Umschlag des Heftes mit der Silhouette des Doms.«

»Damals in Königsberg« bedeutete diesem Dichter so viel! Auch mir – in allem Auf und Ab eines bewegten Lebens – bedeutet »Damals in Königsberg« außerordentlich viel! Möge es nachfolgenden Generationen mehr als eine schöne Erinnerung sein!

Als Leitstern sollten dabei immer jene Worte des Königsberger Weltweisen Immanuel Kant vor unseren Augen stehen, die an der Königsberger Schloßmauer die dort täglich Vorübergehenden gemahnten: »Zwei Dinge erfüllen das Gemüt mit immer neuer und zunehmender Bewunderung und Ehrfurcht, je öfter und anhaltender sich das Nachdenken damit beschäftigt: Der gestirnte Himmel über mir und das moralische Gesetz in mir.«

Personenregister